El fondo del vaso

Biblioteca Ayala

Francisco
Ayala
El fondo del vaso

El libro de bolsillo
Biblioteca de autor
Alianza Editorial

Primera edición en «El libro de bolsillo»: 1970
Segunda reimpresión: 1986
Primera edición en «Biblioteca de autor»: 1998

Diseño de cubierta: Alianza Editorial
Ilustración: Velázquez, *El bufón. El primo* (detalle)
    Museo del Prado, Madrid
Proyecto de colección: Odile Atthalin y Rafael Celda

© Francisco Ayala
© Alianza Editorial, S.A., Madrid, 1970, 1980, 1986
    Calle Juan Ignacio Luca de Tena, 15;
    28027 Madrid; teléf. 91 393 88 88
    ISBN: 84-206-3809-9
    Depósito legal: M. 44.562-1998
    Fotocomposición e impresión: Fernández Ciudad, S. L.
    Printed in Spain

Primera parte

1. Muertos y vivos

No soy ningún vano fantasma; no salgo de la tumba fría. Pueden tocarme, si así les place. Mi nombre y apellido son José Lino Ruiz... Sí, ése; el mismo: José Lino en carne y hueso; «el majadero de José Lino, con sus ufanas series de interminables carambolas», según Pinedito me caracterizó, añadiendo piadosamente un ¡Dios lo haya perdonado!... ¿Qué? ¿Lo habrá perdonado a él? ¡Falta le hacía! Tú, Pinedito avieso, inteligentísimo Pinedo, siempre tan ingenioso y sagaz, tú que tanta prisa te diste a extenderme la partida de defunción: en vano me habrás buscado con la vista, al llegar allá, entre la multitud de los pobladores de ultratumba; pues, a fuer de tonto que soy, todavía me mantengo vivito y coleando en este valle de lágrimas, mientras otros muy vivos y despiertos duermen ahora el sueño de los justos, y aun eso por obra de justicia. Entre ellos, usted, señor don Luis Pinedo, el autor de ese panfleto infame que, bajo el absurdo título de *Muertes de perro,* se ha atrevido a sacar a la luz pública para menoscabar la memoria de un gran patriota, pundonoroso caballero y hombre integérrimo: el inolvidable

Presidente Bocanegra, cuyo nombre me propongo lim-
piar yo de tantas babas rabiosas como, a la hora de su caída, se mezclaron con las lágrimas de todo un pueblo;
cuyo nombre quiero reivindicar rebatiendo, refutando y
desbaratando tantas especies odiosas contenidas en las
páginas que ese renacuajo de Pinedo escribió, y que otros
de su laya se han encargado de propalar *post mortem*.
(Renacuajo significa –y para quien lo ignore, así lo aclara
la Academia– la cría de la rana, que no teniendo aún patas, se mueve, sin embargo, en el agua cual ágil pez.) Pues
sí, señor Renacuajo, o Gusarapo, o Escuerzo: los muertos
que vos matáis gozan de buena salud. Gracias muchas
por su responso; en mi nombre propio, y en el de otros de
sus difuntos apócrifos: el «gallego Rodríguez», sin ir más
lejos, que continúa entregado a «sus gramatiquerías pun-
tillosas» en las columnas del restaurado *Comercio,* gracias también a haber sabido hacerse el muerto a su debido tiempo; sin lo cual no podría ayudarme ahora, como
lo está haciendo, a escribir este libro, o folleto, o lo que
salga, en defensa de la maltratada verdad histórica y de la
benemérita actuación del prócer, que se empeñan en ba-
surear quienes más debieran querer honrarla.

Pero, ya se sabe, la gratitud no es fruta del tiempo; y sería yo en definitiva tan necio como algunos pretenden si
fuera a pedirles esa virtud a ciertos personajes y persona-
jillos de nuestro ambiente –para no hablar de gusara-
pos–. Básteme con practicarla yo en mi modesto plano,
como en efecto lo procuro; ejemplo, el presente escrito.
Y a propósito de gratitud: antes de terminar estos preli-
minares, que cumplen la misión de advertencia previa o
prólogo explicativo, permítaseme expresar públicamente
la que le debo a mi colaborador don Luis R. Rodríguez,
sin cuyas siempre oportunas sugestiones, consejos e in-

cluso correcciones de estilo es claro que esta obrita no llegaría a adquirir vestidura presentable. Pues, así como los
caballeros de pretéritas edades solían ser diestros en el
manejo de la espada y lanza, mas no de la pluma, yo, caballero moderno e hijo del Nuevo Mundo, y por añadidu-
ra comerciante respetable, si me he destacado en algo es,
para envidia y pesadumbre de muchos, con el taco de billar en ristre: mientras que, en cambio, apenas sé valerme
de esos mecanismos que –cierto es: sin el primor de los
antiguos y esmerados pendolistas– en mi oficina usan
manos mercenarias. Esmero y primor quedan reservados
hoy para personas excepcionales como el amigo Rodríguez, un escritor de sólida tradición, sin duda, pero que,
abierto a las corrientes de nuestra época, lejos de desdeñar la *typewriter* como algunos retrógrados, la ama, la
acaricia, la domina y vive de ella. Distinguido periodista,
como al mundo es bien notorio, hombre culto si los hay,
abogado o poco menos (en fin, casi graduado en leyes
por la vieja e ilustre universidad compostelana), ha sabido abdicar la soberbia que hincha a otros compatriotas
suyos menos meritorios, y no vacila en hincarle el diente
a cuanto hueso le cae: todo lo hace admirablemente.
¿Quién mejor que él hubiera podido prestarme sus habi-
lidades para la tarea a que me estoy arriesgando? Él es, a
todas luces, la persona indicada. Por eso, cuando en mí
surgió, o sé cómo, durante una conversación con mi mujer, la idea de escribir lo que llegaría a convertirse en este
alegato, ella, Corina, si mal no recuerdo el detalle, por
animarme a emprender la obra, tuvo esa feliz ocurrencia.
«Y si le propusieras a Rodríguez, que según todos dicen
es tan buen escritor, una especie de colaboración, retri-
buyéndole, por supuesto, el trabajo, puesto que no otro es
su oficio?» Al principio –no he de negarlo– me pareció

una estupidez, un disparate. Corina, como ignora el valor del dinero, siempre está dispuesta a tirarlo por la ventana; su proposición me dio rabia. Pero más tarde, pensándolo mejor, debí reconocer que si uno tuviera el propósito de acometer empresa por el estilo (cosa que todavía estaba muy por verse), en tal caso el hombre idóneo para echar una manita lo era –qué duda cabe– Rodríguez. Hasta en razón de una coincidencia curiosa: ambos habíamos sido declarados difuntos durante los pasados bochinches. En las semanas peores, cuando estaba la cosa que ardía, Rodríguez tomó, en efecto, por su cuenta la misma sabia determinación que yo adopté para quitarme de en medio y no tentar con mi presencia a cualquier mal intencionado: la de hacerse humo. Cuestión de mera prudencia, se entiende. Siempre hay algunos que le tienen ganas al que se destaca por algo, y el mundo del periodismo es de órdago. Hizo bien en esconderse Rodríguez; y yo, con menos motivos, tampoco hice mal, sobre todo porque eso me ofrecía oportunidad óptima para obsequiarme a mí mismo con unas vacaciones cuyo plan acariciaba desde hacía una temporada, vagamente y en el mayor secreto. Urdí en seguida todo, siguiendo el horaciano precepto de juntar lo útil a lo agradable, y sin esfuerzo logré convencer a Corina –la pobre gata– de cuánto y cuánto me convenía sumirme por un tiempito en paraje desconocido. La instruí de que, no bien transcurrido el plazo de veinticuatro horas a cuyo prudencial término podía suponérseme oculto al otro lado de la frontera, exhibiera su consternada preocupación y negros temores por mi ignota suerte. Ella, hay que decirlo, desempeñó su parte con toda propiedad. Sólo más tarde, al advertir que, pasado el peligro, otras víctimas del terror rojo iban reapareciendo tan orondas, cada cual con su correspondiente recitado, mientras que

yo no pensaba en dar señales de vida, empezó a alarmar-
se de veras, y tuvo la humorada este inocente ángel mío
de acudir a casa de Rodríguez, cuya resurrección se feste-
jaba en aquellos momentos con dulces y jerez, para confiar al exultante Lázaro y a su atareadísima cónyuge las
aprensiones de que estaba afligida. ¿Qué hubieran podido hacer en favor suyo? Pensar que, por haber estado
también él escondido, tenía que saber mi paradero, es
idiota. Rodríguez, a quien por entonces apenas conocía-
mos, estuvo muy fino con ella, aunque tal vez no demasiado discreto, pues en lugar de tranquilizarla quitando
importancia a mi tardanza, halló también extraño que yo
no volviera todavía y ni siquiera le hubiera enviado un te-
legrama o escrito una postal a mi esposa. Tendría yo que
hallarme –opinó, echando leña al fuego– en el mejor de
los mundos posibles para no haberme enterado de los
sensacionales y pregonadísimos acontecimientos que pu-
sieron término al desorden y restablecieron la autoridad
en el país. Por otro lado, estando yo a salvo fuera de él, ¿a
qué tanto misterio tampoco? A Rodríguez, que se había
pasado un mes largo agazapado en el sótano de la tienda
de un paisano suyo, natural de su mismo pueblo, claro
está, le faltó tiempo para salir de la madriguera en cuanto
creyó que había de nuevo garantías para la vida y bienes
de los particulares.

De todas maneras, no bien regresé me creí obligado a
darle las gracias por las muchas atenciones que había dis-
pensado a Corina, a quien él encaminó y acompañó en
varias infructuosas diligencias; de cuya ocasión nacería
una amistad, sellada luego con la alegría de mi retorno y
sazonada con bromas como la de ese proyectado Club de
Víctimas del Terror Rojo, cuya directiva vitalicia nos co-
rrespondería a quienes, como él y yo y algunos otros, in-

tegramos la categoría de Asesinados Supervivientes.
Nada más lógico, pues, si por fin me decidía yo a escribir
la reivindicación de Bocanegra, que solicitar en mi ayuda
los buenos servicios de Rodríguez. «¿Por qué no?», había
respondido a Corina cuando me lo sugirió por vez primera, pero de mala gana y sin intenciones de pasar adelante. Ella es terca y no tiene demasiadas cosas en que
ocuparse: volvió a la carga un par de veces más, en iguales
términos o muy parecidos; hasta que, viéndome flaquear
con un elusivo: «¿Te parece a ti?», lo dio por hecho, insistió: «Pues, claro, hombre. Tú lo citas aquí mismo, en casa
mejor que en el negocio. Viene. Lo convidamos a unos
highballs, le expones tu proyecto y, sin alardes de vanidad…» Cree ella que yo soy un tantico vanidoso, y yo no
le hago caso ninguno; que crea lo que se le antoje. Las
mujeres no entienden nada, ven las cosas de un modo absurdo, carecen de toda fijeza. De modo que en seguida
cambió de idea: «No, mejor le hablas tú solo: prefiero no
inmiscuirme». Pero, sí, sí, ¡qué va a inmiscuirse ella! Te-
miendo seguramente que yo fuera a meter la pata y hacerlo mal, sin tacto (pues también me considera despro-
visto de este sentido social), volvió de nuevo al plan de
traerlo a casa. «Se hará como a mí mejor me parezca»,
corté por lo sano. Y lo que mejor me pareció, a la postre,
fue traerlo, en efecto, a casa.

Cuando el gallego supo de lo que se trataba, se resistió
en un comienzo, calificó de interesante y patriótico el
plan, eso sí, muy interesante, pero descubrió de inmediato –pues es listísimo este galleguito, como yo le llamo cariñosamente–, en seguida descubrió los puntos flacos y
las dificultades, y empezó a poner toda clase de inconve-
nientes. En fin, los tragos largos contribuyeron a ablan-
dar su resistencia y a allanar todos los obstáculos. Al alu-

dir yo por último, con la mayor delicadeza, a su posible
retribución (compensación fue la palabra empleada por
mí), saltó de inmediato, herida, la famosa dignidad espa-
ñola –que, justo es reconocerlo, esta vez se ha mostrado
inquebrantable: lo único que hemos conseguido hacerle
aceptar al buenísimo de Luis R. ha sido que se quede a co-
mer en casa con la frecuencia que nuestra actual amistad
no sólo justifica, sino exige–. «Tú, Lino, me explotas; me
estás haciendo trabajar por la comida», bromea él a veces
con su sorna galaica. Es muy natural que, después de haber trabajado y charlado un par de horas, no le permita-
mos que se marche a cenar en aquel manicomio o za-
húrda que tiene por hogar nuestro amigo. Natural es
también que esta colaboración haya estrechado el trato
con él hasta alcanzar el grado de la amistad íntima. Incluso hemos pasado pronto, y apenas sin darnos cuenta, al
tuteo. Fue, lo recuerdo, el día en que yo me atreví a preguntarle qué significaba la conocida erre de su no menos
conocida firma: Luis R. Rodríguez. Una vieja curiosidad
mía. «Pues... Rodríguez también», me contestó riéndose.
«¡Hombre, qué notable!», dije yo. Y Corina, que estaba
presente, no dejó de gastarle su bromita: «¡Caramba,
amigo, que es usted insistente! –le dijo–. Conque Rodríguez y Rodríguez. Eso es lo que se dice remachar el clavo». Puras bobadas; pero ese día estábamos todos de
buen humor. Luis agregó, festivo: «Si les parece que mis
apellidos no son bastante ilustres, en honor de ustedes
puedo haer como mi coterráneo Valle-Inclán, y aun
adornarme con el título de marqués de Chantada. ¿Qué
les parece?»

   –Y ¿por qué no marqués de Chantaje? –repliqué yo por
hacerme el gracioso, y sin pensar en las asociaciones de-
sagradables que esta palabreja pudiera suscitar con un

pasado incidente del que fue protagonista en cierto modo nuestro amigo, y del que yo –inocente de mí– ni siquiera me acordaba. Corina fue quien, muy enojada, me lo aclaró luego, cuando nos quedamos a solas. En fin, mala suerte: ¡nunca lo hubiera dicho! Al hombrecito le sentó como un tiro. Y Corina, que en ocasiones se pone impertinente, me atajó cuando, por buscar una salida airosa empecé a farfullar algo: «Mira, más vale que no trates de arreglar la patochada; déjalo así. Usted, Luis, perdone, por favor».

Perdonó, bueno fuera. Y hasta, como prenda de reconciliación, vino el tuteo. Pero ese día, que tan divertidos y contentos habíamos estado, se oscureció durante un momento y estuvo a punto de aguarse por una inadvertencia, que cualquiera puede tenerla. El nombre de Chantada, que es el pueblo natal de Rodríguez, me trajo la palabra *chantaje* a las mientes, y no pude imaginar... Bueno, pamplinas. Ni sé para qué escribo estas cosas, que luego él me forzará a eliminar; pues, si por él fuera, no quedaría títere con cabeza de cuanto a mí se me ocurre. Pero yo tengo también mi dignidad; y, puesto que no quiere –en esto se muestra de veras irreductible– firmar la obra conmigo, alegando con excesivo escrúpulo su condición de extranjero, menester será que el ilustre señor Rodríguez reduzca entonces su actuación a los meros consejos, sin meter demasiado la cuchara, o la tijera, como querrá hacerlo, seguro estoy, en estos mismos párrafos destinados a ponderar, explicar y agradecer su cooperación, si no es que pretende suprimirlos del todo, con achaque de modestia o por estimar que carecen del requerido empaque literario. Pero... ya veremos. Después de todo, y en cuestión de *hobbies*, quien resulta bueno con el taco en la mano, ¿por qué no puede serlo igualmente con la pluma? ¿Acaso el propio sujeto no se pirra por discursear sobre la clásica alianza entre las armas y las letras? Escribir no es tan difícil, después de todo: basta con ponerse a ello.

Así, pues, y sea generosidad, astucia, modestia o soberbia (que de cada ingrediente habrá un poquito en su actitud), bueno será dejar constancia por lo pronto –las cuentas, claras, mi amigo– de en qué consiste la deuda del presente trabajo para con los talentos e ingenio de Luis R. Rodríguez. A mí no me duelen prendas.

Reconoceré para empezar que si la idea de una reivindicación del Presidente Bocanegra me sedujo desde el primer instante, también me arredraba una segunda cuestión: la del cómo. Rodríguez fue quien me impidió retroceder ante la dificultad y rendirme a ella con armas y bagajes. A su intervención estimulante y casi arrolladora debo el que no se haya quedado este, como tantos otros proyectos, en el rincón de las buenas intenciones. Él supo convencerme de que mis perplejidades nacían, no tanto de falta de luces o de capacidad por parte mía, como de una pereza mal disfrazada de apocamiento. Debía convenir, y convenía conmigo, en que la empresa tenía sus bemoles. El libro a impugnar, *Muertes de perro*, era pieza de la más refinada perfidia. Hipócritamente, sus editores lo habían publicado sin otro comentario que ese título torpe e impropio, pero sugestivo, con el carácter, inocuo en apariencia, de la pura documentación. Ni siquiera se revelaba ahí nada desconocido: todos los documentos que integran el volumen, o los principales, habían visto ya antes la luz en los diarios, al menos en extracto, con ocasión del proceso Pinedo, que tanto, y no sin motivo, apasionó a la opinión pública. Coleccionarlos y ofrecérselos juntos a la curiosidad malévola de los lectores, dentro y fuera de nuestro país, para ulterior regodeo del mal gusto, podrá parecer incorrecto y hasta un tanto abusivo, pero *prima facie* no tendencioso, puesto que todos esos papelotes estaban copiados de los autos judiciales, donde obraron como elementos de convicción en la causa que le valió a Pinedito pena capital.

Rodríguez insistió mucho –y aquí se advierte que sus estudios de abogacía en la universidad de Santiago ni fueron baldíos ni estaban olvidados–, insistió, digo, sobre la necesidad de recalcar el hecho evidente de que los papeles escritos por el desdichado aquel son, sí, prueba irrefutable del delito que se le imputaba y por el que recibió condigno castigo; pero ello no significa que en lo demás hagan fe. Podrán ser ciertos los datos que contiene, pero sus valoraciones –por lo demás, casi siempre implícitas– resultan de todo punto falaces. Éste era el primer paso en que debía proceder nuestra reivindicación; y, para refrescar su plan, me estoy valiendo ahora de las notas apresuradas que hube de tomar en su momento, mientras Rodríguez hablaba y hablaba, e ingería uno tras otro los *whiskies* de que tan pródiga se muestra a veces Corina. ¿Cuál podía ser el previsible efecto de este primer paso? Poner de relieve que los editores del dichoso volumen, lejos de haberse limitado a ofrecer inocentemente al público, según pretenden, una colección de documentos oficiales, o hechos tales por el sacramento judicial, de los que ni siquiera una línea han tachado, el objetivo que persiguen es el muy perverso de dar pábulo a la común malignidad que siempre hace leña del árbol caído (una fortísima y noble encina, en este caso: nada menos que Antón Bocanegra) y, de pasada, desacreditar al país entero, haciendo que circule entre las Repúblicas Hermanas y aun en la Madre Patria una imagen deformada de nuestra sociedad, instituciones y costumbres. Mucho sería ya el desenmascarar intenciones tan proterbas; pero, hecho esto, quedará todavía el rabo por desollar. Porque es necesario entrarle directamente al contenido del libro, y desmenuzar los documentos que contiene hasta haberlos hecho polvo. Lo cual no es, por cierto, tarea baladí.

Y no lo es, porque ese engendro o renacuajo de libro se escurre de entre las manos, y casi no hay manera de cogerlo en renuncio. Casi imposible parece señalar en él falsedades crasas, aunque tampoco se encuentre exento por completo de inexactitudes: lo malo es la selección de los hechos que el atravesado de su autor tuvo a bien recoger, la relación en que los presenta, la luz a que los pone, lo que deja entender y lo que omite. Eso es lo malo. Habrá que depurar sus datos, criticarlos, enderezarlos, colocarlos en la conexión debida, y dejar que así se desvanezcan por sí solas cuantas insidias se ha complacido en deslizar el infeliz escritorzuelo. Pronto se dice esto, y muy cómodo es programarlo mientras se trasiegan al buche grandes cantidades de mi *whisky* escocés, generosamente escanciado por la dueña y señora de mi hogar; pero, amigo, una cosa es predicar y otra dar trigo. Ahí quisiera ver yo, ilustre Luis Erre, puesta en juego tu destreza literaria, y esas artes de polemista que todos reconocen en ti. Hasta ahora, cuanto has hecho ha sido tomar alguno que otro ejemplo obvio como quien elige entre peras, y, más excitado aún por tus propias palabras que por el alcohol consumido, lucirte ante este humilde e ignaro matrimonio de comerciantes. Bien está, no digo que no; pero es distinto eso a tener que analizar *ex-haus-ti-va-men-te* el libelo hasta reducirlo a papilla, según predicas.

En fin, el hombre explicó con su innegable brillantez el método que debía seguir yo en mi trabajo, y no voy a regatearle los méritos de su positiva aportación. «Capítulo Atrocidades –me dice–. Comencemos por el capítulo Atrocidades. Vamos a precisar, ante todo, cuáles son los hechos (*los hechos,* subrayo) que tanta rechifla han levantado contra nuestro pequeño y amado país.» (Rodríguez siente sincero afecto, que a ratos llega al enternecimiento, hacia la que él llama siempre «patria de sus hijos», quienes, entre paréntesis, ¡buena caterva de patriotas están hechos!) «Si prescindimos –prosiguió– de las frases retóricas de alcance general, y por lo mismo, imprecisas, engañadoras, con las que se inaugura como historiador el tal Pinedo (quien comenzó su trabajo con remontadas prosopopeyas, para tener, por lo demás, que abandonar pronto pujos tales, y caer luego en repugnantes vulgaridades de estilo); si pasamos por alto estas alharacas y descontamos también ciertos asesinatos como el de usted, José Lino, y el mío propio, ¿a qué se reducen, en resumidas cuentas, las cacareadas atrocidades? Sólo queda en limpio –y esto, claro está, no puede imputársele a Bocanegra– las peripecias que siguieron a su trágica muerte. Resulta de veras pasmoso; pero usted va a comprobar qué poco de concreto es lo que, aun así, suministran sus páginas. ¡El caso del Chino López, ya sé! Un caso excepcional y único. Por otro lado, ni el personaje mismo tiene importancia alguna, ni dejaba de merecer la suerte que al final le cupo, ni siquiera se conocen bien las circunstancias reales del hecho: nada excluye que fuera por completo ajeno, como tantas otras venganzas privadas, al juego de las pasiones políticas; y, esto por supuesto, nada tuvo que ver con Bocanegra y su régimen, que ya habían caído... En cuanto a lo del senador Rosales, ¡vieja historia, amigo! Aparte de que también está todavía por aclarar, y ya no creo que se aclare nunca, lo que en el fondo hubo. Si se compulsan con

cuidado los indicios, todo ese guiso huele más a represalia femenina que a crimen de Estado. ¡Miren, además, el
tipo que Pinedito se vino a escoger para héroe de su cuento! Precisamente, el sujeto más odioso de todo el drama.
No hay que ser, señor mío, tan bestia como ese Lucas Rosales, ni creerse que se puede abusar impunemente de las
mujeres; pues de pronto una de ellas se encuentra por casualidad en condiciones de tomarse la revancha, y entonces, ésa, maquinando tu pérdida, te castiga en nombre de
todas las que tú, prepotente sin escrúpulos, habías perdido antes... De todas maneras, a los grandes terratenientes
de su laya, a esos que mi culto colega Zapirón acostumbraba demoler en los comentarios de su hora radial cotidiana como "la clase feudal que nos aflige", a esos mismos
que apostrofó con epítetos contundentes el poeta Carme-
lo Zapata en la oda *Al padre del pueblo,* que le valdría el ingreso a la Academia Nacional de Artes y Letras, a ésos hay
que atribuirles el origen último de todas las perturbacio-
nes que hemos sufrido en años recientes. ¿O no estoy en lo
cierto acaso?... Bueno, pues volviendo al libelo: ahí empiezan y ahí terminan las famosas atrocidades. Porque sería
ridículo cargar en la cuenta el acto de un demente (y nadie
ha afirmado que fuera otra cosa lo que costó la vida a
doña Concha, la Presidenta), ni menos, las naturales violencias ocasionadas por una situación de transitoria anarquía, episodios tan vituperables como el asalto a la Lega-
ción de España, instigado como siempre por los consa-
bidos elementos comunistas, que jamás faltan... Pero
mire, yo me atrevería incluso a asegurar que, dadas las
condiciones reinantes en aquel momento, lo asombroso
es que no sucedieran desmanes mayores de los ocurridos.
Fíjate (o Fíjese, pues entonces todavía no nos tuteábamos
Rodríguez y yo), fíjese, Lino, en un detalle no más: el sa-

queo del convento de Santa Rosa. Pura pirotecnia. Corvetas y tiros al aire. Aquellos cuitados no se robaron ni tan siquiera el honor de una mínima monjita. Y eso que (con perdón de aquí doña Corina, y mejorando lo presente), las había que no estaban nada mal. A pesar de todo, los bárbaros tan temidos respetaron caballerosamente a las esposas del Señor... Pues bien, ésos son todos los horrores que Pinedito reporta. Añádale, si gusta, la hazaña que él mismo perpetró estrangulando a la momia de Olóriz, por cuya vida habría de pagar luego con usura. (La verdad es que el pobre gusarapo se lució: vaya estatua que le han levantado sus compatriotas.)»

Todavía continuó por un buen rato el irrestañable Rodríguez, el caudaloso, el sediento; hasta que, sintiendo que se le cerraban los ojos, se despidió para irse, diz que a cenar, o más bien, creo yo, a dormir, y me dejó, en efecto, persuadido de sus razones y de la posibilidad de pergeñar un vibrante alegato que destruya tanta y tan vil calumnia. Es mínimo de veras el catálogo de atrocidades que recoge Pinedo, por muy aglomeradas que las presente; y, por lo tanto, carece de toda base real esa impresión truculenta que, sin embargo, logra transmitir, y que ha permitido a críticos diversos coincidir en sus alusiones a un «estado de bajeza» y a un «clima inmoral», un «bárbaro clima de asonada revolucionaria, con su secuela de crímenes, de violencias, de sobresaltos, de terrores»; describir la nuestra como «una sociedad sumergida en una lucha denigrante entre amos y seres dominados por el terror y la crueldad», y a nuestra *politeia* como «la república ejemplar de la opresión, del vicio, del peculado, del crimen impune y a mansalva». Lo cierto es que no hay por qué rasgarse las vestiduras ni escandalizarse tanto a propósito de nuestro pobre país, si no son las ganas de tirar piedras al tejado ajeno. Para satisfacerlas da pie el lamentable escrito de Pinedo, tan fecundo en insidias como hábil en disimular la obra de gobierno de nuestro malogrado prócer. Destacarla deberá ser, en cambio, según el plan esbozado *in voce* por Rodríguez, el propósito y la coronación de este opúsculo en que, con su ayuda y por estímulo suyo, vengo trabajando.

¡Trabajando, digo! Hasta ahora, apenas habíamos hecho otra cosa que darle a la lengua. Encariñado al fin, creo yo, con el proyecto, no obstante sus iniciales reticencias y aun resistencias, Rodríguez hallaba tiempo en medio de todas sus muchas, diversas e importantísimas ocupaciones, para venir a charlar con nosotros interminablemente, de eso y de cien mil cosas más. Evidentemente, le había tomado afición a nuestra casa. Aparte el *whisky*, encontraba en ella lo que sin duda, no podía brindarle la suya propia, invadida siempre por los amigotes de sus hijos, y gobernada, si esta palabra no suena a ironía, por una mujer que es, en frase de Corina, la imagen viviente del Adefesio, o –como también la ha motejado con cierta gracia– Nuestra Señora de la Estupidez Mayúscula. Por lo tanto, ¿qué de extrañar tiene que el pobre tipo, un hombre de letras después de todo, aproveche cualquier rato sobrante para visitarnos y echar a su sabor esas largas parrafadas que constituyen su máximo deleite? Y, puesto que además tiene la discreción de no ir a quitarme un tiempo que no tengo en el negocio, donde, a lo sumo, alguna vez me ha telefoneado para averiguar si volveré pronto a casa, también a mí me complace que frecuente nuestra humilde mansión. El único pero hubiera sido que Corina, como yo temía, se pusiera a protestar de las repetidas latas; pero no sé por qué milagro (aunque sí lo sé: la envanece nuestra amistad con un intelectual de fuste), el caso es que, lejos de protestar y fastidiarme, gusta de asistir a nuestras discusiones, en las que, incluso, se divierte a veces en tomar parte, metiendo su baza.

Lo malo con esto es que toda la pólvora se nos iba en salvas; quiero decir, que se nos pasaban los días y las semanas dándole vueltas al proyecto, sin avanzar un paso en el camino de su realización. Y aunque sostenía Rodríguez que sólo en apariencia perdíamos el tiempo, y que así era como los frutos deben madurar, yo, harto ya de borronear las notas que él me había recomendado ir tomando, un buen día le mostré muy ufano («ufano»; ¡caramba, no!: «mis ufanas carambolas»; afuera la palabreja; le mostré, sencillamente) unas hojas de papel donde, como Dios me dio a entender, había intentado por mi cuenta dar comienzo a la redacción del trabajo. Los comienzos –¿quién lo ignora?– son siempre arduos en todo, y sinceramente me parece que aquello no estaba mal. Después de haberlo leído un poco a la ligera Rodríguez opinó eso mismo: que no estaba mal. Pero al otro día me entrega unas cuartillas de su puño y letra donde, mientras llegaba yo –me dijo–, ahí mismo sobre mi mesa de comedor, acababa de garrapatear un párrafo que bien pudiera servir de apertura a nuestro alegato.

Es el párrafo que, en efecto, sacrificando mis laboriosas escrituras, y satisfecho de que, al menos, éstas hubieran servido para acicatearlo, he colocado al principio de todo; y probablemente el lector avezado haya descubierto en su prosa, no bien la recorriera con la vista, el estilo suntuoso, recargado y digno, en virtud del cual es tenida la firma de Luis R. Rodríguez por una de las más señeras en nuestro Parnaso.

Ahora bien, cumplido ese esfuerzo, que para él no parecería serlo, volvió a hundirse nuestro admirable amigo en las delicias de la descuidada cháchara; y así, hubo de transcurrir no breve plazo antes de que yo me animara de nuevo a insinuarle la conveniencia de aventurar otro pasito adelante. Fui oportuno; pues Rodríguez me contestó que precisamente aquella misma noche, preocupado con el asunto, había pensado algo que pudiera ser excelente: ¿por qué no me ponía yo en contacto con el párroco de San Cosme y capellán de las monjas, quien, como es sabido, sirvió de confesor y cirineo a Pinedito hasta el lugar de la ejecución, para ver qué podía sacársele? No era mala la idea de Luis Erre; en seguida me di cuenta. Aquellos papeles que el pobre sapo, tan sediento de gloria, reunió, comentó y complementó de su cosecha, y que luego servirían como prueba irrecusable para condenarlo, son los mismos que integran el panfleto lanzado contra la memoria del difunto Presidente, no diré yo que con beneplácito del actual, porque no soy quién para juzgar a nadie, y menos a Su Excelencia, pero sí, desde luego, con anuencia suya, dado que hasta el momento no se ha movido un dedo desde las alturas para condenar y aniquilar tan retorcida maniobra. Pues la idea –véase ahí la astucia del gallego– sería que a lo mejor el padre cura había recibido de labios de su penitente, a la hora de la verdad, palabras, declaraciones, confesiones, que, sin faltar al secreto del sacramento, y atendido el patriótico fin que todos perseguimos, pudiera él comunicarme en servicio de esa misma verdad, tan tergiversada por el venenoso inválido que gloria haya, al denigrar en sus prolijas digresiones a los principales personajes de nuestro drama nacional, y sobre todo al protagonista gigante cuya defensa procuramos. Para el efecto de ella, cuanto el confesor pudiera revelarnos tendría la misma autoridad, si se considera lo solemne de la ocasión, que los propios documentos judi-

ciales, o más aún. «Imagínate, José Lino –me ponderó
con entusiasmo Rodríguez al explicar su idea–, imagínate
si pudiéramos aseverar que Pinedo, una vez condenado
por los hombres y ya al pie del patíbulo, confesó ante el
tribunal de Dios algo así como, digamos, haber calumniado maliciosamente al Presidente; o mejor acaso, haber
mordido la mano que le daba el pan.» Sin duda: sería un
buen golpe; sensacional.

No es que yo tuviera nada que hacer por aquellos parajes, aunque la amplitud de mi negocio aconseja siempre
visitar alguna que otra vez esta o la otra zona del país;
pero me fui hacia San Cosme, y pronto hallé motivo para
alegrarme de haberlo hecho, pues no sólo pude poner
coto a abusos cuyo detalle no vendría aquí al caso (bastante dinerito me debían de estar costando), sino que
tuve ocasión de comprobar el increíble progreso de la región, antes mortecina, y disponer en consecuencia algunas mejoras y ampliaciones que a partir del año entrante,
si no me equivoco, rendirán su fruto. El propio don Antonio, como párroco a quien todos más o menos respe-
tan, y que conoce el terreno mejor que nadie, me abrió los
ojos sobre ciertas irregularidades, quizás sin darse cuenta, pero de cualquier modo con gran utilidad para mis intereses.

No me fue de tanta, sin embargo, el cura en lo que se
refiere al fin concreto de mi viaje; y eso que, de acuerdo
con las recomendaciones de Rodríguez, en lugar de
echarme como una tromba, fingí al contrario que mi presencia allá respondía al deseo de inspeccionar lo relativo
a mis negocios, y que sólo de paso y como simple cuestión de curiosidad me interesaba por averiguar minucias
acerca del caso Pinedo. A pesar de mis hábiles precaucio-
nes, poco fue lo que conseguí obtener de aprovechable

para nuestro propósito. El don Antonio abundó en particularidades que ya la prensa se había encargado de llevar en su día al conocimiento público, tales como el increíble ánimo con que Pinedo afrontó el pelotón de fusilamiento, por contraste con tantos matones, hombres como castillos, que en ocasión semejante se han solido desmoronar, ofreciendo incluso el espectáculo lamentable de ensuciarse patas abajo. Lo único que, al parecer, preocupaba y casi obsesionaba a nuestro inválido era la manera (la técnica, digámoslo así) con que lo colocarían contra el paredón: si sentado en el suelo, o en su sillón de ruedas, o cómo. A juicio de su director espiritual, entereza tan notable en un pobre tullido era señal clara de que la gracia divina había venido a asistirlo, tras su reconciliación con Dios y con su suerte. Ahora bien, respecto de su arrepentimiento y confesión en concreto, el ladino del cura no quiso soltar prenda. Me aburrió, eso sí, con una especie de apología de Pinedito, a base de los mismos argumentos que en vano se cansara el abogado defensor manoseando y barajando para erigir castillos de naipes que, aun sin los bufidos feroces de la pública vindicta, debía derrumbarse ante la paladina confesión del propio reo, foliada en autos. Por mucha lástima que inspirase el desdichado, era inevitable su condena; y don Antonio tenía que reconocerlo, después de todo. Lo reconocía; pero, ¿es que, acaso, una vez dictada sentencia, no hubiera podido intervenir también la gracia humana, como la divina, para evitarle el suplicio?

En suma, que mis conversaciones con el confesor no aportaron gran cosa a nuestra empresa. Lo único que consiguió este bendito, a fuerza de tanto insistir sobre las tribulaciones del que fue su cliente *in articulo mortis*, es que yo me inclinara a la compasión, e incluso le perdona-

ra a Pinedo lo que dejó escrito, para irrisión general,
acerca de mis carambolas. Conviene que conste: mi piedad no quedó sin premio –tan seguro es que, como pre-
dicaría el cura, las obras, aun de orden interno, jamás se
pierden–; pues he aquí que me acudió a las mientes un argumento fantástico a favor de Bocanegra: el de que éste,
sin duda, hubiera indultado a Pinedito; y lo hubiera hecho, porque nuestro jefe sabía ser magnánimo; y porque,
además, poseía autoridad, y no le hubiera temido a aquella plebe tan enconada contra el *ecce homo* del sillón ro-
dante. De manera que, por paradoja, al detractor de Antón Bocanegra le hubiera convenido que el hombre a
quien vilipendió con saña, todavía viviera y, como es natural, continuara ocupando la poltrona cuando él fue juzgado y condenado a muerte por su crimen.

Entiendo yo que, a falta de mejor, esto aporta algo a los
fines que perseguimos; y volvía tan contento de poder exhibir siquiera esa modesta pieza cobrada a última hora en
el corral de mi propio caletre tras haberme fatigado recorriendo con escopeta y perro –esto es, prevenido y curioso– el coto del señor párroco, donde ni por pienso saltó la
caza mayor que el astuto gallego y mentor mío se prome-
tiera, cuando este majadero de Rodríguez, que estaba es-
perándome, me dedicó por todo comentario una grosera
carcajada.

Sí, no otra fue su acogida a mi hallazgo. Llego a casa, y
allí me lo encuentro al hombre repantigado en una butaca –por lo visto, había pasado casualmente a inquirir noticias de mi viaje–. Enterarse del resultado de éste y romper a reír, fue todo uno. «Corina, por favor: venga acá y
oiga esto –le grito, confianzudo, a mi mujer, que ya se había entrado a guardarme el maletín–. ¿A que no adivina
con qué argumento quiere José Lino demostrar la gene-

rosidad de Bocanegra? Pues nada menos que con el indulto de Luis Pinedo. ¿Qué le parece? ¿No es genial? El prohombre agredido, calumniado, vituperado, etcétera, una vez que los tribunales han dado su fallo, tiende sobre el culpable el manto protector de su perdón y lo cubre con su misericordia, acto hermosísimo de clemencia que desmiente cuanto en detrimento de su fama pudo destilar en páginas inmundas ese mismo reptil venenoso... El razonamiento es perfecto. Su falla radica en el mínimo detalle de que Bocanegra había muerto antes de que Pincdito hubiera pensado siquiera en cometer su crimen, y, por tanto, este indulto quien se lo ha concedido –y eso, demasiado tarde; pero no importa– es nuestro querido señor José Lino Ruiz, del comercio capitalino, con su imaginación calenturienta.»

El señor José Lino Ruiz, es decir, un servidor, prefirió en aquel momento pasar la insolencia, tragar saliva, y no tomarlo por donde quema, pues, sobre que estábamos en mi casa y la hospitalidad obliga a derroches de prudencia, me di cuenta de que Corina lo miraba a Rodríguez y me miraba a mí con ojos de *non capisco*. Más valía siendo así, puesto que ella no se había percatado, hacerse el desentendido, y ¡adelante!

Desentenderse no es, sin embargo, tarea fácil con este gallego. Todavía volvió a la carga hasta incurrir en pesadez, y para colmo, tomando siempre por testigo de sus bromas a Corina, quien, lejos de celebrárselas, parecía inquieta o molesta. No digo yo que fueran bromas insufribles entre amigos de cierta confianza como nosotros éramos. Todo se reducía a variaciones tontas sobre el tema del escaso botín capturado por mí en dos días largos de ausencia, durante los cuales había dejado en el mayor desamparo a esposa, negocio y amigos; bobadas; pero repe-

tidas con tal reiteración, y en un tono tal de befa, que ya
estaba yo amoscado y me estrujaba el magín en busca de
alguna respuesta contundente que, sin ser grosera, le ce-
rrara el pico, cuando Corina salió al quite y desvió con
tacto la conversación: me preguntó dónde me había alojado.

¿Dónde iba a alojarme? En el hotel de la plaza, claro
está. No es tan grande San Cosme; no es la capital, por
mucho que en los últimos años haya progresado. El hotel
mismo se encuentra ahora tan refaccionado, moderniza-
do y hasta elegantizado que no hay quien lo conozca. Bas-
te decir que, además de teléfonos, han puesto radio en
cada pieza, y que los huéspedes disponen de dos televiso-
res, uno para el vestíbulo y el otro en el bar.

–Pues no me explico cómo no te has quedado allí una
semanita por lo menos, con tanto aliciente –terció, por
no cejar, el gallego.

Le fulminé con una mirada de desprecio, como a beo-
do que molesta, y dirigiéndome a Corina con ostensible
exclusividad, me explayé sobre los adelantos, de veras no-
tables, que había podido advertir en la región. Entonces
Rodríguez quiso venirse a mejores términos. El muy necio comprendía al fin lo que es haberse pasado de la raya,
y para enmendar su pifia empezó a preguntarme, ahora
en tono serio, si –aparte mis infructuosas pláticas con el
cura– no había tenido yo ocasión de hablar con otras
gentes del pueblo acerca del caso que nos ocupa.

Y ¡claro que sí! Precisamente el poblado de San Cosme, antiguo feudo de los Rosales, es también patria natal
del ominoso Tadeo Requena, el parricida, el asesino de
nuestro llorado prócer; ese triste honor le cabe. Pues,
aunque parezca mentira, la familia Rosales es allí vana
sombra del pasado; su nombre se recuerda, si acaso, con

desteñida indiferencia. Y en cuanto al joven Tadeo, ¡con decir que Luna, el dueño del hotel, a quien él hace repetidas alusiones en las memorias recolectadas por Pinedo, apenas si conseguía individualizarlo entre la desastrada patulea de aquel entonces! A Dios gracias, hasta San Cosme no parece haber llegado el dichoso librito; y cuando al señor Luna le hablé de su panfletaria existencia y le dije que, por cierto, en sus páginas escandalosas está mencionado su honrado nombre un par de veces o tres, este modesto coterráneo tuyo, Rodríguez, que ahora luce próspero y poderoso con el viejo almacén extendido por toda la planta baja del edificio contiguo al hotel, no dio muestras –¿podrás creerlo?– ni tan siquiera de la más leve curiosidad. Se ve que para tu compatriota lo único que cuenta es el vil metal; de la notoriedad, infame o no, se ríe a mandíbula batiente.

Era mi pequeña venganza; pero él, ni se inmutó. O quizás si este otro gallego, repantigado ahí en mi butaca, no se estaba riendo también, cazurro, para sus adentros... De cualquier manera, yo me había sacado la espina.

¿Cuántos días o, mejor, meses, se me han pasado sin añadir una letra a la justa, merecida e inaplazable vindicación de Bocanegra? ¡Ah, prócer! Mucho me temo que, a la postre, vas a quedarte sin vindicar, y que –con gran dolor de mi corazón– tu imagen pública continuará *per saecula saeculorum* afeada con los rasgos de ese monstruo taciturno que de ti ha hecho la malevolencia de tu bufón Pinedito. Pues es el caso que a quien esto escribe, cronista de ocasión, retórico improvisado, oficioso redentor, le falta –y debo, aunque me pese, confesarlo– el empuje, el método, la habilidad, el *métier,* el olfato, el sentido de lo que conviene decir y de lo que es necesario callar; en suma, carece de todas esas cualidades menores en

que tanto se destaca el nunca bien ponderado Rodríguez,
y que, administradas por su mano amiga, debían guiar la
mía, dotando de eficacia y dignidad a este trabajo que
emprendí, como él lo pronuncia, con «relutancia», y al
que, después de todo, me había aficionado pronto. Sin su
ayuda, sin tan luminoso numen, ¿qué puedo hacer yo
sino perderme en los laberintos de la divagación ociosa
contra los que ha solido prevenirme; en los piélagos de
insondable confusión con que a veces me amenaza; en el
marasmo, palabra cuyas breves sílabas son en sus labios
suma final de mi abismática incompetencia?; una incompetencia que, humilde aunque sólo implícitamente, estoy
admitiendo con sólo declarar como lo hago: ¡Antón Bocanegra, ilustre patricio! La obra de tu apología ha de
quedarse empantanada en este mismísimo punto y hora
en que mi mentor me falla; pues con su defección me han
abandonado, tanto las fuerzas que la tarea en sí demanda
como el estímulo complementario exigido en mi caso
particular por la famosa abulia que según docto, infalible
y siempre de nuevo reiterado dictamen de Corina, mi
consorte y fiel esposa, es nota distintiva de mi carácter.

Ahora bien, ¿por qué tan indispensable colaborador
ha resuelto dejar a este su amigo en la estacada? Pues porque hay gentes, y Luis R. Rodríguez pertenece a su número, que se creen con derecho a gastarle chacotas al lucero
del alba, pero que no aguantan del prójimo la más pequeña, la más inocente broma, siquiera sea dicha sin intención, como acontece con la mayor parte de las que a mí se
me ocurren, por más que alguna vez (y entonces soy yo el
primer sorprendido) haya resultado que, cual esas armas
que el diablo carga, llevaban mortífera bala. De ello podrían ofrecerse ejemplos abundantes; digo, de su intem-
perancia para chanzas ajenas, sólo justificada, a lo sumo,

cuando con suspicacia enfermiza cree él advertir oculto veneno en la punta. Respecto del disgusto actual, que lleva camino de hacerse definitivo pues hace ya un montón de días que no nos hablamos, no acierto –sinceramente– a comprender, por más vueltas que le doy, qué mosca pudo haberle picado. A menos que algún detalle se me haya borrado de la memoria (olvido subconsciente, quizás, pues habíamos tomado unos cuantos tragos y siempre puede uno incurrir en pamplinas de las cuales más vale no acordarse luego), creo que he conseguido reconstruir cuanto pasó aquel día y –aparte de que de todo tiene la culpa el propio gallego– no detecto, no capto cuál sea el motivo de su enojo conmigo. ¿Acaso no fue suya, para empezar, la idea de convidarme a la maldita fiesta? ¿Qué culpa tengo yo, si...?

Pero es que la atmósfera venía estando cargada desde días atrás (y digo «la atmósfera» porque, en efecto, parecería que ciertas alternativas del humor y disposición de ánimo de la gente no tienen otra causa, a veces, que la formación de una nube en el cielo, o el amago de una tormenta, o la persistencia del viento). Corina (verdad es que para las mujeres esas causas de perturbación natural pueden hallarse también dentro de su propia fisiología), Corina estaba insorportable –una de esas veces en que ella se pone de veras insufrible, mustios los ojos, aferrada con tozudez al monosílabo, irritable por demás, aunque, eso sí, procurando contenerse, porque cuando no se está en condiciones de ofrecer una explicación al malhumor mejor es no darle salida–. A mí, aunque no niego que me fastidia, todo eso me hubiera importado poco, si no fuera porque esta mujer mía, pese a lo que se supone de la condición femenina, ignora por completo las artes del disimulo y, cuando está de luna, lo está para todo el mundo, incluso para las visitas. Por más de confianza que fuera, Rodríguez estaba de visita en casa, y no había derecho a mostrársele con trompa y aun darle la callada por respuesta cada vez que él le dirigía la palabra. «Perdona, chico, Luis; no hagas caso –le dije tan pronto como salió Corina de la pieza–. Hoy por lo visto amaneció nublado el día: no sé lo que le ocurre.» «Ni te preocupes –me respondió Rodríguez–. ¡Ventoleras! Las mujeres son así; ya se le irá pasando.» Y entonces, puesto que no estaba el horno para bollos, se despidió, añadiendo todavía en la puerta, después de vacilar algo: «Mira, José Lino, yo venía a invitarlos para esta noche al festival de la Federación de Artistas de Cine, Televisión, etcétera, en el Casino; pero, dada la situación, ¿por qué tú, al menos, no vienes? Va a estar muy bien; y siempre habrá ahí algunas rapazas de esas que prometen y cumplen, para olvidarse un rato de los sinsabores domésticos».

Le dije que bueno, y allá comparecimos ambos, a la noche, ostentando en la solapa sendas gardenias. Como periodista, Luis Erre tiene vara alta en los ambientes artísticos tanto como en la *high life* que ocasionalmente se mezcla con ellos en esta velada. Pero es el caso que tampoco él se sentía de muy buen temple, a pesar de su aparente optimismo. Él también debía de tener, ¡cómo no!, sus correspondientes «sinsabores domésticos»; y por si ello fuera poco, todavía le ocurrió entrar con mal pie en el Casino, pues aún no habíamos llegado a la mitad del salón principal cuando ya tuvo que torcer el hocico descubriendo en un grupo, entre la dorada juventud, la silueta demasiado familiar aunque indeseable aquí, de su primogénito, adornado a su vez, como nosotros, de una gardenia cuyos delicados pétalos hacían penoso contraste con la impávida profusión de espinillas y granos que prospera-

ban sobre su casi imberbe faz. *«Hallo, papi!»*, saludó el
adolescente con desenfadado ademán de su vaso. Y no
pude entender, aunque me lo imagino, lo que el gallego
musitó entre dientes, al tiempo que se volvía para otro
lado, desentendido de tan fastidiosa presencia. ¿Cómo
evitarlo? Ya el malhumor quedaba sembrado para toda la
noche. Y lo peor de todo es que, no sé por qué regla de
tres, había de tocarme a mí ser su cabeza de turco.

Mucho de la culpa cabe, y yo lo entiendo, al *whisky* y al
ron, cuyo desmedido consumo en fiestas tales favorece
por igual, para regocijo de sus proveedores, a la industria
nativa y al comercio de importación. Y esto consideraba
yo, distraído en observar la euforia con que el venerable
don Cipriano Medrano (don Ano-Ano, como le apodan
los burlones), verdadero zar de las bebidas alcohólicas en
nuestro país y vicepresidente del Casino, saludaba a unos
y otros por encima de las parejas aglomeradas en la pista
de baile, cuando me di cuenta de que, no sé cómo, alrededor mío había salido a relucir una vez más, con aire de
chacota, el manido tema de mi falsa muerte. A la gente le
ha dado por reírse de tamaña sandez. ¡Hay que ser idiotas! Si de veras me hubieran matado, como a tantos otros,
durante aquellos días negros, o rojos, según Pinedito se
apresuró a dar por hecho, entonces ¡santo y bueno!: a los
muertos todo el mundo los respeta, los honra, los dignifi-
ca (todo el mundo, con excepción de aquel mala-sangre
de Pinedo que, difunto yo, no tuvo empacho, sin embargo, en tomarme de mingo; por lo cual puede perdonárse-
me, creo, la reciprocidad del tratamiento). Pero –continúo– como no quise darle a mis conciudadanos ese
gustazo y sigo contándome entre los vivos, ellos se dedi-
can a zaherirme, para indemnizarse quizás del poco de
compasión que en vano les hice gastar entonces. ¿Quién

conoce al género humano? Cada cual se esfuerza por hacerse el gracioso a base de lo que, en chunga, llaman ahora mi tragedia. Y lo increíble es que hasta Rodrígez tiene el tupé de aportar las galas de su ingenio al coro de chistosos. ¡Sí, hasta Rodríguez! ¡Como si él no se hubiera hecho también el muerto, y no lo hubieran dado por tal, y no hubiera estado agazapado igual que yo! Pues él fue (¡se necesita caradura!) quien me sacó de mis profundas meditaciones acerca del negocio que, como quien no quiere la cosa, estaba redondeando don Ano-Ano a costa de todos nosotros y de nuestra sed viciosa; me sacó, digo, de mis cavilaciones con un tirón de la manga y esta necia pregunta: «A ver, José Lino, resuélvenos una duda: ¿no es cierto que en el Otro Mundo tú le ganabas a San Pedro todas las partidas al billar?» Tan de improviso me tomó que no supe qué contestarle. Más tarde, sí, pensé que debía haberle retrucado preguntándole a mi vez si él por su parte, cuando estaba Allá, no se ocupaba en corregirle a San Juan el Apocalipsis en lugar de limarle, o lamerle, los versos al negro Zapata, como hace aquí, en este bajo mundo. Pero ya era demasiado tarde; las buenas réplicas me acuden siempre demasiado tarde...

Lo que más rabia me da con esta bobada es que, sin duda, no me considerarían tan tonto si supieran que en mi desaparición hubo gato encerrado. Claro que, de saberlo, ¿hasta dónde no llegaría su envidia? Pues es evidente que en todo esto lo que hay es algo y aun mucho de envidia; la cosa no tiene otra explicación. Yo no me meto con nadie; pero como tengo mi negocio, que produce lo debido, gracias a Dios, y tengo una mujer que a muchos les hace pecar contra el noveno mandamiento de su ley (sin ella, claro está, proponérselo ni enterarse siquiera); y como, para colmo, todavía les gano al billar, quisieran morderme, destruirme o, ya que no pueden, por lo menos satisfacerse en considerarme tonto. No seré uno de los siete sabios de Grecia, ni falta que me hace (aunque ya quisiera ver yo a algunos de esos intelectualoides y doctorzuelos rigiendo un negocio tan complicado como el mío); pero desde luego, señores, no fue pura tontuna, como ustedes –infelices– suponen, mi falso mutis de esta vida: sépanlo.

Por lo demás, hubo bromas para todos, no sólo para mí; y se me disipó el coraje. Tampoco es cosa de ir a una fiesta para pasárselo echando las muelas. Ya teníamos cada cual bastante tragos en el cuerpo; hacía calor; los sudores vencían el control de cualquier cosmético; algunas parejas, cansadas de bailar, salían a la terraza o hasta se perdían tras de los árboles en el parquecito minúsculo; a las muchachas tiernas les brillaban de cansada excitación los ojos; empezaban a retirarse, respetables, las familias, perforando de luz la noche tropical con los faros de sus silenciosos automóviles; también se retiraban las grandes estrellas de la televisión, radio y cine; y la retirada de todos estos pretensiosos, hay que decirlo, nos dejaba por fin a los rezagados –gente joven, solteros o maridos solos, artistas incipientes que no quieren perder oportunidad– la de sentirnos cómodos y disfrutar sin estiramiento de una última hora sabrosona.

Ahí fue que se produjo mi segundo incidente de la jornada, si incidente puede llamársele, con el majadero de Rodríguez, quien –como podrá advertirse– tampoco en este caso, ni aun retorciendo los hechos, tendría sombra de motivo para asumir el papel de parte agraviada, sino todo lo contrario. Ello sucedió así. Entre la cohorte de ninfas más o menos mulatas que maúllan por la radio o se desnudan ante la televisión, y que pululaban como es lógico en el festival de la Federación de Artistas, Rodríguez

me había presentado, guiñándome el ojo, a una tal Tinita
con la que bailé un par de piezas y procuré luego mantener al alcance de la mano con ánimo, quizás, de anexio-
nármela para fin de fiesta; y ahora, en aquel ambiente
más íntimo de la hora postrera, me pareció que no sería
contravención grave propasarme un poco –aunque siempre en forma discreta y con el debido tacto– en las muestras de mi reciente afecto hacia la futura gloria de la pan-
talla. Pero esta descarada, sea que había libado en exceso,
o sencillamente por lucirse, salta y le dice a Luis Erre delante de todos que: Aquí tu amigo (por mí) no la dejaba
respirar, y que yo era un baboso. ¡Un baboso! ¿Habráse
visto percanta? No hubiera debido hacerle caso ninguno,
ni valía la pena; pero el hecho es que me enceguecí y, con
igual publicidad que ella había empleado para denostar-
me, le hice saber a aquella basura que sus encantos físicos
no los cotizaba yo ni en diez centavos, y que si alguna vez
incurre uno en la debilidad de arrimarse a un percal de su
género es para mejorar las existencias que tiene en casa.
En cuanto a ella, ni por sus altos, ni por sus bajos, ni por
sus medios podía sostener la comparación más remota
–así se lo notifiqué– con los que constituye mi cotidiano
menú... Es muy cierto: no que la morocha estuviera mal
(y además, ya se sabe, la variación siempre agrada); pero,
por Dios, que tanto en la estructura general como en los
detalles particulares, mi Corina, ¡caramba...!

Pues, bueno: el gallego, al oírme esto, se indignó conmigo, me llamó grosero e indelicado, quería comerme.
¡De veras que la gente es fantástica! Ante semejante andanada, yo me quedé como quien ve visiones. ¿Qué respon-
de uno a una cosa así? Por toda respuesta, giré una mirada en torno, para que el mundo me fuera testigo de la
insensatez en que puede caer un gallego borracho, y tam-

bién para explicar tácitamente el digno silencio con que
una persona que se encuentra en sus cabales acoge tales
despropósitos. No hay que decirlo: todo el mundo estaba
en ello; percibí ironía maliciosa en las pupilas de todos, y
no faltó incluso quien, por echar leña al fuego, apuntara:
«Hombre, Rodríguez; José Lino sabrá lo que se dice; dé-
jelo usted que pondere su mercadería». Pero antes de que
fuera a soltar alguna otra burrada, ya Rodríguez Junior,
que se había acercado al corro y estaba allí con la gardenia chafada y gotas de sudor entre los granos de su frente,
intervino tomándole el brazo a su padre: «Vamos, papi;
vámonos ya para casa». ¡Hasta el propio hijo comprendía
que su ilustre progenitor había metido la pata!

Con esta intervención el ambiente se había puesto ten-
so, la atmósfera se había cargado, y yo creí deber aclararla
mediante una observación contemporizadora. Sugerí
algo así como: «Bueno, quédese lo dicho por no dicho. Al
fin y al cabo, todos hemos bebido un poco más de la
cuenta».

–Usted, señor Ruiz, se calla –va y me grita entonces
Rodríguez hijo, muy alterado, pálido y temblón. Y todavía se permitió agregar el insolente Junior–: Usted está
muerto, y los muertos no opinan.

Era lo que me faltaba. Ni sé cómo me contuve para no
darle un moquete. Probablemente, sólo en consideración
a que ese niño estúpido, tan crecido de talla y bíceps
como enclenque de cerebro, era muy capaz de descome-
dirse llevando su falta de respeto a vías de hecho, y no iba
yo a arriesgar el ridículo de una escena de pugilato que
hubiera hecho reír luego a todas las esquinas. Me callé,
pues, maldiciendo *in mente* la memoria de aquel Pinedito
que había puesto en solfa el tema de mi muerte al forma-
lizar por escrito los falaces rumores suscitados por mi de-

saparición. Hasta el mocoso de Rodríguez Junior se me
atrevía a la broma. De buena gana le hubiera roto la cara a
él, y a su papi por consentírselo.

Claro que en el caso de este criaturo imbécil, no se me
ocultan los motivos de la inquina que contra mí alberga
en su corazón de zanahoria: demasiado bien sabe el nene
que la prenda por la que él se despepita es «cosa mía», y
eso lo tiene que bufa. Pues ¡a fastidiarse, hijito! Eso no es
para menores. ¡Los críos, a la escuela!

Sea como quiera, el resultado es que, por el momento al
menos, debo renunciar al proyecto en virtud del cual
tomé la pluma y, por vez primera en mi vida, borroneé
algo que no fueran las cartas comerciales o algún recado
con instrucciones de última hora. Rodríguez y yo estamos distanciados definitivamente, y eso sin que haya me-
diado un motivo poderoso, o siquiera claro. Por lo tanto,
puede considerarse cancelado nuestro plan de colaboración. Y sin embargo… es el caso que sigo escribiendo.

Cuando le dije a Corina, varios días después del festival de los Artistas, pues deseaba yo, no sólo convencerme
de que no había reconciliación con Rodríguez, sino también esperar hasta que se le compusiera el humor a ella;
de modo que cuando vi que se le había pasado a mi mujer la racha aciaga y parecía más tranquila, le dije que, según todas las probabilidades, nuestra reivindicación de
Bocanegra iba a quedarse en agua de borrajas; y se lo dije
suponiendo que reaccionaría en el sentido de aconsejar-
me, puesto que ya la cosa estaba comenzada, seguir adelante yo solito por mi cuenta y riesgo; en lugar de esto, me
miró con ese aire estupefacto que a veces se le pone y
me respondió, indiferente, que: muy bien. Fue todo lo
que me respondió.

De hecho, la cosa estaba sólo comenzada. Lo escrito es bien poco, después de todo. Y para eso, según compruebo al repasarlo, casi nada tiene que ver con la defensa del calumniado prócer. Yo me puse a la obra aplicando la receta que el mismo Rodríguez me había dado: «Lo que tienes que hacer es escribir aquellas mismas palabras y frases que dirías si quisieras expresarte verbalmente. También cuando uno habla, la conversación diaria arrastra cantidad enorme de materiales literarios. No hay sino ponerlo, negro sobre blanco, en el papel: tal es el secreto, y no otro. Fíjate, José Lino –había continuado persuadiéndome–, que de todas las artes, el literario es hoy día el más sencillo: no requiere aprendizaje fuera de las primeras letras que la enseñanza general obligatoria, en su lucha contra el analfabetismo, ha difundido por doquier. Ni siquiera dinero te cuesta ejercer la literatura. El pintor tiene que gastar en lienzos, óleos y bastidores; el músico, en sus instrumentos; pero al literato ¿quién le impide, con un modesto block y un lápiz, escribir, no diré la *Divina Comedia,* que es en verso y tendría los engorros de la rima y medida, pero sí la *Comedia Humana,* dejándose ir para ello a cuanto humanamente le salga? Ahí están luego las imprentas voraces; y como la industria tiene que alimentarse, todo se publica por fin...» Lo hice tal cual me lo recomendaba, y hallé que es un ejercicio bastante divertido; así creció mi afición. Pero los resultados poco tienen que ver, la verdad sea dicha, con la reivindicación del extinto presidente Bocanegra. No soy tan fatuo que me engañe: pese a mi mejor voluntad, lo escrito hasta ahora está muy lejos de ser el alegato vibrante, arrollador y entusiasta soñado por el gallego Rodríguez. ¿Qué le vamos a hacer? Sin la ayuda de un profesional, éste u otro, no habrá alegato que valga. Por lo pronto, determinados

detalles pueden escapársele a uno fácilmente, como, por
ejemplo, aquella tontuna del Primer Mandatario con la
que tanto me embromó mi colaborador, y cosas por el estilo. Aunque precisamente en ese caso no tenía, entiendo
yo, demasiada razón Rodríguez, si nos atenemos a lo que
él mismo ha dicho mil veces de que el uso cambia el sentido de las palabras; pues nadie hoy se acuerda más de que
mandatario significa (según él, pedantesco, puntualizaba
al vedarme que prodigara ese título a Bocanegra) sólo el
gobernante elegido mediante procedimientos democrá-
ticos. «Oiga, Corina, fíjese –pues siempre había de tomar
a mi mujer por testigo–. José Lino se imagina que la palabra "mandatario" equivale a mandón, o mandamás.»
Pero éstas son pamplinas, detalles mínimos. La dificultad
no reside tanto en corregir el estilo, pues en estos tiempos
de libertad cada cual escribe como buenamente le da la
gana, y aun se reputa eso un mérito, sino más bien en re-
cortar, seleccionar, ensamblar y ordenar los materiales en
un conjunto, según se hace con las películas. En una palabra: armar el libro, o el folleto, para que cumpla adecua-
damente su objetivo de ilustrar a la opinión pública con-
tinental e influir sobre ella.

¿Alcanzará a hacerse alguna vez? Las circunstancias
no son, por cierto, demasiado propicias, y lo más probable es que este plan quede abandonado para siempre. En
el fondo, creo que nunca me interesó demasiado, y que si
me metí en la empresa fue por sugestión de Corina y, sobre todo, por la oficiosa insistencia de ese mismo Rodríguez que ahora se ha echado atrás. ¿Por qué tendría que
ser yo, después de todo, quien escriba en defensa de Bocanegra, supuesto que nuestra patria le deba reparación
y hasta el monumento que el gallego pretende? Mi relación con Bocanegra fue, en verdad, bastante anodina: la

que un ciudadano conspicuo, un comerciante, puede mantener con el Primer Mandatario, o Mandamás, de su país –invitaciones a alguna que otra recepción oficial, suscripciones y firmas para fines nacionales, y pare usted de contar–. ¿Qué contratas he tenido yo? ¿Qué permisos de importación, si se exceptúa...? (Pero, ni eso; eso nada tenía que ver con Bocanegra, como bien se advirtió al caer el amigo Doménech en desgracia; por lo tanto, nada.) Pues entonces, ¿qué me dio a mí nunca el tal Antón Bocanegra, ni quién me llama a ser abogado de causas perdidas? En definitiva: que no tengo motivo alguno para meterme a redentor, tanto más cuando incluso puede sospecharse que ahora, en las alturas, se juzga preferible correr un tupido velo, y no se vería con buenos ojos que un zaragutero cualquiera empezara a revolver –y ¿para qué?– las cenizas y rescoldos del pasado. «Dejad que los muertos entierren a sus muertos», como dijo el otro. Más vale obedecer esa regla de oro; y no volvamos a la broma de que yo soy, por derecho propio, uno de ellos.

Pero no obstante, he aquí que sigo escribiendo; que continúo y continúo emborronando papeles. Se ve que he adquirido el vicio. ¡Raro estupefaciente, extraña mariguana es esto de escribir! Empecé a darle a la pluma con un propósito concreto y limitado, y patriótico, y persuadido además por amistosa presión. Desisto ahora de la obra iniciada y, sin embargo, sigo dándole a la pluma para hablar de cien mil tonterías, de todo y de nada, de cuanto se me viene a las mientes, aun a sabiendas de que ello es inútil y vano, y quizás sólo para mi propio perjuicio (no sea que se diga también de mí lo que un escritor argentino, Nalé Roxlo, ha sentenciado acerca de Pinedito y del mismo Requena: que *por la boca muere el pez*). Cierto, me cuido mucho de no escurrirme; pero ¿no sería me-

jor, sencillamente, abstenerse de este ocioso ejercicio?
Pues aunque quisiera, no puedo; me he enviciado sin remedio. Aquí estoy, a mi edad, entregado otra vez, aunque
de manera algo distinta, a los placeres solitarios: de pronto me entra la gana, me irrito por cualquier causa, me ex-
cito y, casi en forma compulsiva, empuño la bien tajada
péñola. Es lo único que logra apaciguarme. ¿Razón? Muy
simple: ¿con quién comunicaría, si no, mis cosas? No,
desde luego, con mi encantadora esposa. A ésa, prefiero
dejarla aparte, por consideraciones múltiples que no son
del caso; en observación, como quien dice.

2. La bofetada

De «cosa mía» califiqué yo a la prenda por quien ese gamberro de Rodríguez hijo, erre que erre, suspira. Pues bien, la mencionada «cosa» se ha tomado hoy conmigo una muy inusitada libertad: la de propinarme un bofetón. Así como suena, un bofetón; y no hablo en términos metafóricos ni me refiero a ninguna especie de bofetada moral (pues de éstas, ¿para qué habría de hacerse particular mención a la fecha?), sino de una literal y física guantada con toda la fuerza nerviosa de su delicada diestra; sí, con esos mismísimos y finísimos deditos de ángel, tan avezados al manejo de la máquina de escribir como a otra clase de tecleos que este su patrón y seguro servidor sabe no estimarle, agradecerle y recompensarle menos.

Y ¿cuál fue la causa de reacción tan violenta? No podría decirlo. Tuvo efecto a raíz de una larga y bien preparada admonición que ella oyó en silencio, y a la que puse término con esta pregunta, más bien retórica: «Y ahora, preciosa mía –le dije–, veamos, ¿cómo era aquella payasada que tú haces con los ojitos?» Ocurre que esta campesina aindiada –pues no otra cosa es ella, y lo sigue siendo pese a sus pretensiones actuales, a los zapatos altos de satín y al perfume francés, *Séduction,* que me complazco en hacerle usar, aunque no en las cantidades groseras que se echa–, esta indiecita, cada vez que por una u otra razón se encuentra en situación comprometida y no sabe qué debe hacer o cómo le conviene comportarse, acude al recurso de –con una expresión bastante cómica– ponerse a parpadear muy rápidamente, de modo que, exagerando hasta la caricatura su perplejidad real, distrae de ella, divierte y mueve a risa ¡Astucias de chinita!... Bueno, pues no imagino lo que hallaría la muy loca de ofensivo en mis palabras, que eran cariñosas después de todo; y al pronto, hasta creí que iba a tomarlas en broma, porque en efecto parpadeó muy de prisa un par de veces; pero en seguida, ¡zas!, por toda respuesta va y me larga un guantazo que si bien no me dolió mucho, por lo inesperado me dejó atónito: como si de pronto me mordiera mi propio perro.

Por supuesto, los perros nunca son tan ingratos como esta gente. Si se piensa que no era sino una piojosa muerta de hambre cuando, medio escondiéndose tras de su padre, se acercaron a pedirme trabajo –de sirvienta, señor; aunque sea de sirvienta– a las puertas del negocio –casi descalza, con un vestiducho de percal violeta muy planchado pero desteñido, y su cintita amarilla trenzada en el pelo, que me parece estarla viendo todavía–, y se la contempla ahora hecha una princesa, tan cambiada que hasta su nombre payo de Candelaria se ha transformado en el dulcísimo apelativo de Candy, ¿qué de extrañar tiene su engreimiento, ni que se crezca al extremo de alzarle la mano al taumaturgo mismo de semejante metamorfosis, sobre todo desde que nuestra brillante mariposa acaricia la dorada ilusión de atraer al pie del altar a ese imbecilón de Rodríguez Junior? Pues nada menos que en ello estamos; sépase. Tal es el punto a que hemos llegado.

Y lo divertido del caso es que no se trata, a decir verdad, de una ilusión absurda, de un ensueño, ni tampoco de mero disparate. Más aún; si el ilustre vástago de los Erre Rodríguez se piensa que hace gran honor a la humilde ex Candelaria de los campos elevándola hasta su altura, ¡que no sea necio! De haber ventaja para alguien en la supuesta boda, el favorecido lo sería él, que no tiene sino tufos y granos y mala crianza, y con sólo tales propiedades se llevaría al tálamo nupcial una señorita consumada, bien formada, cultivada, fina, viajada incluso por el extranjero, y capaz de enseñarle al muy bobo hasta latín, mientras que dejaba entre mis manos –mariposa gentil, mariposa del amor– la ajada vestimenta de su oscura crisálida (si acaso esta poética comparación puede permitírseme). Así es. Gracias a mis desvelos, y a mis dineros, la bella Candy es en la actualidad, ¡qué digo presentable!, un verdadero galardón para cualquiera. Eso, a la fecha de hoy; pero yo sé muy bien y no se me olvida cómo nos miraba la gente, a mí, y a ella, y otra vez a mí, hace no más de unos años, cuando por un mes largo estuvimos alojados en el Hotel Panamericano, de México *city,* y antes para unos cuantos días en varios otros durante cada una de las etapas previas de mi cacareado viaje a Ultratumba. Entonces, ni siquiera podía pasar por la secretaria que oficialmente era; todo el mundo tenía que reparar en nosotros con sospecha o risitas; sin excluir al amigo Doménech con quien casualmente nos encontramos un día en la Avenida Juárez (ignoraba yo que Doménech estaba residiendo en México desde que se le huyó a Bocanegra) y que se creyó autorizado a hacerme una alusión pícara. Doménech, por otra parte, es hombre comprensivo:

acepté de buena gana el chistecito que se permitió acerca de las delicias de la luna de miel mirando de reojo a la muchacha; lo reímos ambos, y aunque ella estuvo torcida conmigo durante el resto de la tarde –y a veces se me pone bien atravesada esta india–, debió de alegrarse luego, supongo yo, de que una persona tan simpática como Doménech compartiera nuestro pequeño secreto, que empezaba a resultar ya un tanto aburrido. A decir verdad, el hombre no pudo haber estado más amable con nosotros, ni más generoso. Nuestra vieja relación, que lo era de negocios, ha crecido a partir de aquel feliz encuentro hasta convertirse en la amistad estrecha que hoy nos une y sobre la que nuevos y más importantes negocios hallan firme cimiento. Este gran Doménech, que por derecho propio ha vuelto a erigirse en mago y capitán general de las finanzas de nuestro país, ansiaba entonces tener noticias frescas de lo que en él estaba pasando. Tentado había estado, me dijo, apenas supo en su destierro la que sin duda debió de considerar fausta nueva del asesinato de Bocanegra, de reintegrarse a la patria para reclamar sus confiscados bienes. Pero se contuvo, juzgó prudente no incurrir en precipitación, y pronto tendría motivos para felicitarse de su cautela; había sido mejor dar tiempo; y el tiempo vino a demostrarlo. Doménech apreció mucho en aquella oportunidad mis informes de primera agua, mis consejos; fue, como digo, muy cordial, muy sencillo. Este magnate había conocido ya la desgracia, permanecía aún por entonces en el exilio, y experiencias tales humanizan a la mayoría de las gentes, aunque a unos pocos los tornen, al contrario, definitivamente insufribles.

Volviendo a lo que íbamos: por aquel entonces, todavía la Candy seguía siendo Candelaria, y no era posible llevarla a todas partes como hubiera sido mi gusto. Durante más de dos años empleada en mis oficinas, no había logrado yo, pese a mis continuas exhortaciones, que adoptara la apariencia exigible al personal burocrático. Tras de su máquina de escribir, era siempre la misma campesina asustada que me miraba con los ojos muy abiertos, y a veces se le saltaban las lágrimas en ellos cuando le sermoneaba acerca de la vestimenta y arreglo personal requeridos por la dignidad administrativa. Se le saltaban las lágrimas, pero no había manera de que me hiciera caso, pues la nena es bastante testaruda. Tampoco, cierto es, cabía insitir demasiado. Bien sabía yo –y si no lo sabía, podía imaginármelo– que su sueldo volaba apenas percibido, y no bastaba a tapar agujeros. Esa gente carece de todo sentido práctico: antes de devengarlo, ya se lo han comido. Así, claro está, viven peor y todo lo pagan, además, más caro. Con la cantinela de «Son muchas bocas que alimentar, señor», entonada a cada paso por el padre tras la espesura de sus bigotes, se veía que aquella infeliz criatura era una víctima de la voracidad del familión, y yo no me sentía con ánimo para apretar demasiado; mucho menos, para cumplir mis amenazas. Me daba lástima de ella; y por pura lástima transigía más de lo que hubiera debido con su descuidada apariencia, e incluso, alguna vez, en lugar de aumentarle el sueldo (¿de qué hubiera valido?) le regalaba un bono para hacerlo efectivo en los propios establecimientos de la firma..., con el resultado descorazonador de que ni siquiera así era siempre acertada su elección.

El gran cambio se produjo en ella con el proverbial viaje que –por allanarme a la broma– he llamado a Ultratumba aunque en verdad no alcanzó a pasar de la capital azteca. Ese viaje, sí, le hizo muchísimo bien; volvió transformada de arriba abajo. Cierto es que, para empezar,

debí comprarle equipo completo –lo que no es poco decir, dado el precio tremendo a que están en México los ar-
tículos de vestir–; y lo hice, no sólo en cumplimiento de
mis promesas, sino por motivos de buen parecer, pues
claro está que no podía llevarla conmigo en semejante fa-
cha; era necesario adecentarla. ¡Si hasta le hice conocer
entonces las maravillas del *beauty parlor!*

El problema estuvo en moverla a arrancar, y se comprende; aunque reconozco que no me fue tan arduo el
convencerla como yo me había temido. Cierto es que estaba acostumbrada a recibir mis órdenes y que, cual jefe
y patrón, era yo a sus ojos –¡quién no lo notaba!– una especie de Dios padre. Adopté como mejor técnica la de si-
tuarme en la cumbre de mi Sinaí. Le hice comparecer a mi
despacho, la invité a sentarse, cosa del todo extraordinaria, y aguardé un momento sin decir esta boca es mía.
Eran circunstancias muy graves; nos hallábamos en el
centro mismo de la tormenta política, y ¿quién no andaba
nervioso, excitado, asustado? Interpuse, pues, un bloque
de silencio solemne, y acto seguido le endilgué un discur-
sito cuyo exordio estaba encaminado a destacar la confianza de veras única que me disponía a depositar en su
discreción, en el afecto que, sin duda, no me equivocaba
al suponerle hacia mí; y antes de pasar adelante inquirí en
tonos de refrenado patetismo si podía, en efecto, fiarme
de ella para una cuestión que, sin exagerar, debía considerarse de vida o muerte. He de advertir que no estaba yo
representando una comedia, aunque subrayara ciertos
rasgos para consumo del espectador. Asintió, parpade-
ando mucho. Y yo, asegurado, entré en materia. Ya estaba viendo ella lo que pasaba: la ola de muertes desencade-
nada, la falta de garantías mínimas para nadie. Pues bien
–agregué bajando la voz–, hasta mí habían llegado rumo-

res (o, para decirlo todo, confidencias ciertas) de que se estaba urdiendo mi asesinato, como prólogo al asalto, saqueo y despojo del negocio... Hice una pausa que le permitiera recobrar el aliento y vencer la palidez, y continué dando por evidente la necesidad de ponerme a salvo, junto con los más importantes valores de la Casa, quitando así la ocasión y –puesto que matanzas tales son en gran parte un vicioso fruto de la iniciativa privada– autorizando al mismo tiempo la sospecha de que quizás algún competidor se había adelantado al siniestro plan, a fin de que olvdaran mi humilde persona. Tal era la situación. Y yo le preguntaba a mi fiel secretaria: ¿Estaría ella dispuesta a ayudarme? Se apresuró a la afirmativa con vehementes cabezadas, pues –húmedos de emoción los ojos– no le salía la voz del cuello. Le tomé yo la mano, puse en ella un ósculo respetuoso, pero tierno; y tras nueva pausa empecé, ahora con perentoriedad inapelable de jefe, a adoptar las pertinentes disposiciones. Ante todo, secreto impenetrable: ni una palabra a nadie; a nadie, ¿eh?, y menos que a nadie al autor de sus días. Ya me encargaría yo, sin tardanza, de explicarle todo a su padre en forma satisfactoria, además de proveer, como es de razón, para que en el ínterin no pasara necesidad la familia. Lo único que ella tenía que hacer ahora, y esto con mucha diligencia y reserva total, era acercarse a la estación y sacar los billetes de ferrocarril hasta La Torreta. El tren sale de mañana, a las siete treinta; de modo que, al siguiente día, en lugar de venir al trabajo, se iba ella a tomarlo directamente, llevando consigo este paquete de documentos (que, sin reparar en sus miradas de sorpresa, de alarma, de consternación, le eché en la falda), así como sus más indispensables pertenencias, un peine bastaba, ya compraríamos de todo, no convenía suscitar sospechas. Yo, que me proponía salir en auto esa misma noche, abordaría el tren en el apeadero de Río Amargo, y me uniría allí con ella. Después, ya veríamos.

Lo que vimos después es que, cuando uno está dispuesto a soltar monedas, nada resulta imposible ni siquiera difícil. La sola dificultad para mí consistió en tranquilizar a aquella zonza, empeñada a todo trance en regresarse una vez pasada la frontera; y fue menester que, a fuerza de sosegarla y acariciarla, pasáramos esa otra frontera tras de la cual no había ya por qué seguir pagando habitaciones separadas en los hoteles para que, dejando la petera, se resignara a acompañarme.

Desde luego, le cumplí lo prometido. Pero me pareció más práctico que ella misma fuera la encargada de escribir al bigotudo de su progenitor, bordando a su manera iletrada los puntos siguientes, que yo le sugerí: primero, encarecimiento del más absoluto sigilo; segundo, razonamientos acerca de la necesidad –cuestión de vida o muerte– de este viaje, cargando las tintas, no sobre mi caso personal, sino sobre el aspecto «intereses del negocio»; era un servicio muy especial el que ella prestaba a los Establecimientos Ruiz en tan críticas circunstancias; y tercero, instrucciones para que el buen hombre pidiera a la señora Corina, pseudoviuda de Ruiz, cierta cantidad que yo le había dejado encargo de entregar, sin más averiguaciones, a un señor que llegaría a pedírsela de parte de don José Lino –pero esto había de hacerlo su padre sin meterse en dibujos de ninguna clase, antes bien, dando la impresión con su reticencia de que dicha suma era para pasársela, en oculto paraje, al desaparecido esposo...–. Esto, que debió de producir el efecto calculado y previsto, tuvo también, de rechazo, el muy benéfico de tranquilizar a la muchacha permitiéndole de ahí en adelante que disfrutara de cuantas novedades (y no fueron pocas para ella, e incluso para mí mismo) encerraba nuestro viaje. ¡Qué ciudad es la ciudad de México, Dios mío! Quienes tanto ponderan las bellezas, grandezas y adelantos de nuestra humilde Capital, nada saben, infelices, del ancho mundo. Yo los oigo, y no digo nada; ¿para qué? Después de haber visto México con la boca abierta, la cerrarían para siempre...

Pues, como iba diciendo, allí fue donde mi dormida mariposa desplegó los brillantes colores de sus alas, hasta el punto de que yo, un poquito asustado a la vez que halagado, pensé en recortárselas algo; lo pensé, sin animarme, no obstante, a ello, pues –ahora lo comprendo, y ya entonces lo presentía– hubiera sido inútil propósito. En fin: vestidos, zapatos y medias, algún pequeño adorno, era lo lógico, y yo se lo facilitaba con mil amores. Pero frente a sus otras fantasías ¡freno discreto, tácticas dilatorias!, sin llegar jamás a la negativa cerrada. Estaba ella como chiquillo en la feria; todo la encandilaba, se le antojaba todo. Hasta que, pasada la feria, y a la hora de regresarnos, aquellas fantasmagorías tan coloridas y luminosas se le vinieron encima de golpe. Fue para ella –y confieso que, en cierto modo, también para mí– como un triste despertar. Pero... había que volver, ¡qué remedio!, aunque fuera con los ojos arrasados de lágrimas y de susto, a la realidad cotidiana. Creía la muy tonta que el bigotudo iba a matarla. ¡Qué matar! Yo le expliqué cómo podía engañarse a la fiera, la manera mejor de domar al noble bruto. Le recomendé por lo pronto que, en lugar de presentarse en su casa con todo el ajuar tan costosamente adquirido, lo dejara de momento, por el qué dirán, guardado en un cuartito de los almacenes, cuyas llaves le daría yo, y donde, convenientemente arreglado, podríamos después llevar a cabo nuestros trabajitos extraordinarios sin que nos molestara nadie. En esto me hizo caso, evitándose con ello el perdedero de prendas que, con toda seguridad, se hubieran dispersado y malbaratado si aparece en su casa con ellas. En cuanto a mis demás recomendaciones, sospecho que, en lugar de seguirlas, se las arreglaría como mejor pudiera con el bárbaro de su taita; nunca me lo dijo; nunca me ha querido decir nada de nada. Lo importante es que ni se produjo el melodrama que esa bobita temía, ni tan siquiera el escandalete que temía yo cuando reapareciéramos, casi a la vez, mecanógrafa y jefe, en el negocio, después de haber desaparecido con igual sincronización sospechosa. Nadie mostró, sin embargo, haberse percatado de tales coincidencias; ni por casualidad sorprendí una mirada de malicia. Lo cual, bien pensado, tampoco es raro. Nos habíamos *sumido* en los días peores del terror, mientras andaba todo manga por hombro y el negocio mismo desquiciado, sin orden ni concierto ni disciplina alguna. Faltar yo fue la señal para que se echaran los cierres (así se lo dejé encargado a Corina), y cada mochuelo se refugiara en su olivo hasta nuevo aviso. ¿Por qué había de notarse la ausencia de una empleada ínfima, si todos se habían marchado, cada cual a su casa? Y, de regreso, la misma historia. Pasé recado a unos y otros, y poco a poco todo volvió a entrar en caja, hasta normalizarse por completo. Incluso me brindé el gusto de ofrecerle una fiesta al personal (digo, a aquellos que readmití, pues por fin las circunstancias me permitían llevar a cabo un reajuste muy necesario, siempre demorado por enfadoso bajo condiciones ordinarias), celebrando así la reapertura de los establecimientos con una solemnidad que concitara buenas voluntades y cuya publicidad sirviera de paso como propaganda para el público (un objetivo que –entre paréntesis– el gallego Rodríguez se desvivió por secundar desde las columnas de *El Comercio* con una diligencia donde brillaba nuestra nueva amistad, todavía no empañada por nubecilla alguna).

... Bastante próximo aún en el tiempo según calendarios y relojes, todo ello se le presenta a la memoria un tanto desteñido, destituido y lejano, porque –tan fecunda es la paz, tan próvidas sus cosechas– estos pocos años han modificado la faz de nuestro país hasta un punto tal que parecen remotas ya y casi inverosímiles sus estrecheces, penalidades y miserias de otrora. Continúa, claro está, habiendo pobres y ricos: ésa es la ley de Dios; pero, por lo menos, existe trabajo para todos, todos ganan sus jornales, florecen la industria y el comercio, y nadie tiene derecho a desesperarse.

Y, he aquí un fruto, siquiera sea indirecto, de esa general bendición, acerca del que yo puedo atestiguar como personal beneficiario. No tengo empacho en reconocer que, entre otras aprensiones, me acompañaba en mi regreso de Ultratumba la de que la debilidad mía con aquella Candelaria transformada ahora en Candy (por cierto que Doménech había sido quien, en México, le recortó así el nombre, un verdadero hallazgo; breve, práctico y gracioso; yo lo adopté en seguida, y hoy nadie le da otro); mucho me temía yo –repito– haberme echado encima, con esa botaratada de la que ya estaba medio pesaroso, una pensión vitalicia y que por la boca insaciable de la primogénita la familia entera de hambrones iba a nutrirse en lo sucesivo de mi sustancia. A qué negar que me preocupaban las perspectivas de un permanente chantaje y hasta pienso que ello me andaba rondando por la cabeza cuando, en aquella ocasión, me resbalé a proponerle el marquesado de Chantaje a Rodríguez, en lugar de Chan-

tada, olvidándome de que él también había pasado en su
vida por situación semejante, de la que no logró salir sin
trabajo y pública rechifla. Yo, por mi parte, he sido mucho más afortunado. Y aunque es verdad que al comienzo
me vi forzado a aumentarle a Candy su sueldo de secretaria particular por tres veces consecutivas y fijarlo a una
altura casi escandalosa, y aunque tuve además que mo-
lestarme en procurar colocación para los hermanillos sucesivos apenas crecían, y en intervenir a favor del bigotudo en un absurdo lío judicial, lo cierto es que no podría
hablarse propiamente de abuso; no, en la medida que yo
temía. A la fecha todos ellos trabajan en paz y gracia de
Dios; nunca estuvieron antes tan holgados como, dentro
de lo relativo, se encuentran ahora. Sospecho que, sin los
años de vacas gordas con que el cielo nos compensa de
los sufrimientos, escaseces y violencias pretéritos, las cosas no se hubieran deslizado tan suavemente; pero el hecho es éste, y a él me atengo.

Respecto de la damisela, dicho queda; tan infatuada la
tiene el nuevo giro de su fortuna, de quien yo he sido
principal instrumento, que hasta empieza a mostrar en
los últimos tiempos ciertos pruritos de independencia,
de los cuales, aunque otra cosa finjo, me percato demasiado bien. Sobre el joven Erre, que con la obstinación insensata propia de sus pocos años no cesa de cortejarla, se
fundan los sueños, cábalas y especulaciones de esta ninfa, la secreta ilusión que acaricia de sorprenderme un día
más o menos próximo con el grito liberador. La muy ilu-
sa, no sé por qué especie de paradoja identifica libertad
con matrimonio, y considera –esto sí, con total acierto–
que Rodríguez hijo pudiera ser para ella el paladín de las
justas nupcias. Sorprenderme, no va a sorprenderme,
claro está; si mi doña Sirena ve debajo del agua, tampoco

yo me chupo el dedo. Ahora, en cuanto a las perspectivas de éxito que sus maquinaciones tengan, menester sería ante todo que un servidor se sintiera inclinado a facilitarlas. Ahí está el detalle. Porque, amiguitos míos, han de saber ustedes que los sueños, sueños son. Esta aborrecida metrópoli que se llama José Lino Ruiz cuenta con recursos más que suficientes para frustrar cualesquiera veleidades libertadoras de su colonia querida, y si alguna vez accede por fin a emanciparla, pueden estar seguros de que será mediante un acto magnánimo de su voluntad soberana y no por la fuerza de una rebeldía triunfadora ni mucho menos por ajena imposición. Siendo así, bien pueden esos tiernos tortolillos solicitar del Creador que me persuada a otorgarles mi consentimiento; y ello, en la inteligencia de que eventualidad tal no debe descartarse de antemano. Pues la verdad es que, pensándolo fríamente, a lo mejor no sería ésa una mala salida, por mucho que a uno lo mortifique ver que, con sus manos limpias, venga un gaznápiro cualquiera a cosechar el fruto hermoso de las inversiones y del trabajo propios, y a calzarse en su dedo la joyita que a fuerza de tanto esmero y paciencia de artífice había conseguido pulir uno.

Por supuesto que si esa joya va a tomar ahora la gracia de propinar bofetadas...

¿Cómo sé yo, quién me ha dicho a mí, de dónde he sacado, sobre qué me fundo para penetrar las intenciones y adivinar los pensamientos de esta que, bajo sus pretensiones de *beauty salon* y sus refinamientos módicos, sigue siendo siempre en el fondo la misma campesina taimada? A andanada tal de preguntas, yo replicaría no más que basta observar con alguna atención, tomar nota de ciertos detalles significativos y atar cabos, para darse cuenta

de lo que la muy pilla urde en silencio. Luego, una bofetada impaciente lo confirma a uno en todas sus aprensiones
y ya no hay más duda.

Que el Junior Rodríguez mariposeaba alrededor de
Candy, era obvio. Sus asiduidades lo hubieran hecho sos-
pechoso; sus toscos disimulos lo delataban resueltamen-
te. Pero ello en sí poco me hubiera importado –era él después de todo majadero mínimo– a no ser porque me
empecé a figurar que sus pesadeces –¡quién lo hubiera dicho!–, lejos de molestar a la Perpetua Displicente, le caían
en gracia. «¡Bobadas de chiquilines», pensé sin embargo
al verlos reírse; y creí que había sido bastante remedio
cuando, con familiar severidad, advertí al mocoso: «Por
favor, Luisito, no me distraigas de su trabajo al personal.
Si has comprado lo que querías y ya te han preparado la
factura con descuento y todo, despéjame el campo». Me
pareció que eso había bastado porque, en efecto, durante
varios días la desgraciada humanidad del galancete hon-
ró con su apreciada ausencia mi Establecimiento, resultado que compensaba con creces el visible pero momentá-
neo enojo de nuestra sensible damisela al sentirse aludida
bajo designación tan genérica como la de «el personal».
Sólo días más tarde, al apercibirme de que el corpulento,
lento y vacilante mariposón rondaba por las proximidades a la hora del cierre, y de que mi secretaria particular se
apuraba, nerviosa, por ajustarse a horario, barrunté que
el remedio había sido peor que la enfermedad.

Nada di a entender, no obstante; ni esta boca es mía;
pero, claro está, me las arreglé para cerciorarme; tal como
temía, a la vuelta de la esquina ya sus manos, ¡Dios me
valga!, se juntaban con alegría sudona. Y así apestillados
continuaron adelante hasta detenerse en el vestíbulo de
un cine, donde los dejé, parados ante la taquilla, porque

–reflexioné yo– no era cosa de seguirlos, ¿para qué?, hasta dentro.

Esa bofetada, igual que la del hipnotizador que pone término a una sesión, me ha sacado, creo, del letargo en que estaba sumido, permitiéndome ver las cosas con una lucidez nueva. No es que esté decidido, eso no; decidido, no lo estoy; pero ha comenzado a darme vueltas en el magín la idea, y vengo considerando si acaso no sería bueno, en lugar de oponerme, quizás con efecto contraproducente, y crear dificultades, disgustos, quién sabe qué especie de complicaciones, ¿no sería bueno acaso propiciar más bien el cumplimiento de los anhelos conyugales de la desigual parejita, y empujarla al connubio? Si es eso lo que ella quiere, ¡que se lo tenga! ¡Señora de Rodríguez: muy señora mía! Probablemente entonces, agradecida a mi actitud, a mi comprensión, a la ayuda que yo le habría prestado para realizar sus más altas aspiraciones, se percataría esta obcecada criatura de hasta qué punto me he portado bien con ella (en verdad, hasta el punto del sacrificio), y se daría cuenta por fin de lo que tantas veces le tengo repetido: que yo he sido su Providencia; de modo que un último acto de generosa abnegación cerraría con broche de oro la serie de los infinitos beneficios recibidos, y coronaría dignamente su carrera ascensional desde el bohío hasta la elegante mansioncita mesocrática. Entonces, elevada a la categoría de nuera de uno de nuestros antiguos amigos –no empece que, por el momento, algo distanciado de nosotros–, es muy fácil que el joven matrimonio ingresara en el círculo de nuestras relaciones sociales, tanto más habiendo sido ella por varios años antes de casarse empleada distinguida de la Casa Ruiz. Entonces, cuando la muy necia se hubiera convencido –y te garanto que no tardarías mucho en convencerte, nena–

de que el amor sacramentado, y menos en tales condiciones, lejos de traerle las venturas eternas que ella piensa, es un saco de pejigueras, entonces caería en el hecho inconcuso de que la vieja metrópoli opresora de que ahora sueña en emanciparse, le fue, muy al contrario, bendición del cielo, raro privilegio. Entonces, quién sabe, ¿por qué no?, nuevos lazos de desinteresado amor vendrían a reanudarse espontáneamente entre la lindísima y próspera colonia y su antigua metrópoli, su vieja metrópoli, su metrópoli detestada...

Para ser exacto, desde el instante mismo en que me percaté del idilio, y por debajo de la natural indignación, esa otra perspectiva empezó a trabajarme el ánimo insidiosamente. Desde luego, no le ahorré a la ninfa su correspondiente escena de sarcasmos y veladas amenazas, que, como de costumbre, aguantó con cara de palo; pero al mismo tiempo, y a raíz de todo ello, tuve que confesarme y reconocer en mi fuero interno que la tal Candita me tiene ya un poco harto, llegando en ocasiones a ponerse insufrible. Si fuera cuestión de aconsejar a alguien (que no lo es, pues nadie admite que le aconsejen sino precisamente aquello mismo que está queriendo hacer y no se decide), aconsejaría yo a cualquiera, y aun lo pondría escrito en un bonito cartel para adornar la oficina de todo jefe o patrón: «Jamás complicarse la vida con sus propias empleadas; máxima inviolable de moral administrativa: Los líos, fuera del negocio». Porque –no hay duda– se pierde autoridad, y uno queda librado a la merced de sus propios dependientes. Ésta (justo es reconocerle a cada cual lo suyo) no ha abusado todo lo que hubiera podido; pero, aun así, tampoco deja de llegar tarde a la oficina siempre que se le antoja, o de faltar con el más pequeño pretexto, cuando siquiera se molesta en buscarlo. A mí el retraso o la ausencia misma no me importan mucho; lo que me importa es la desmoralización que de ahí resulta, las envidias y murmuraciones. Pero uno tiene que sufrirlo todo. Y por si fuera poco, todavía en las mismas narices de uno consiente ella que el primer idiota se dedique a bailarle el agua... En resumidas cuentas, no sería tampoco ninguna alhaja la que se llevara el reventante Junior; bien servido iría. ¡Se la regalo!

Miradas ahora las cosas desde otro ángulo –desde el ángulo de su Senior–, el caso es que con éste no tengo yo obligación amistosa de ninguna clase, dado el modo puerco que ha tenido de portarse con nosotros. En circunstancias distintas, quizás hubiera podido alegarse que mi deber de amigo era ponerlo sobre aviso de la tontería que el mentecato de Luisito amenazaba perpetrar, para que, con conocimiento de causa, adoptara las provisiones pertinentes. Pero es lo cierto que el ilustre periodista, en contra de toda razonable previsión, se ha portado como un cerdo, distanciándose de nosotros (y esto, tras habernos infligido latas interminables, y consumido aljibes enteros de mi *whisky* escocés), como si le hubiéramos hecho la peor de las ofensas; de manera que ya puede clavarse ese mariposón fofo de su vástago; no he de mover un dedo para impedirlo. Si con sus escasas luces decide el nene que en tal casorio radica la felicidad de su vida, peor para él. Yo, por mi parte, me encojo de hombros, y ni siquiera voy a pasarle la cuenta por las mejoras introducidas en la finca durante el tiempo que la he ocupado: son mi regalo de bodas. Parecería obsecuencia de parte mía si, encima de lo ocurrido, me acercara yo al gallego para prevenirlo. Que se fastidien, ¿no es cierto?

«¿Sabes –informé a Corina, fingiendo un aire entre divertido y casual–, sabes que uno de los chicos Rodríguez,

el mayor, anda enamoriscado de una de nuestras mecanógrafas, y se me ocurre que cuando menos se piense va a
querer casarse con ella?» Se lo dije para ver cómo reaccio-
naba. A Corina le molesta, y con razón, hablar de los Rodríguez. Yo lo comprendo muy bien; cuando alguien se
conduce como el gallego se ha conducido, mejor es no
ocuparse más ni del santo de su nombre; como si se hubiera muerto. En este punto, Corina es implacable. Tantas cuantas veces he intentado yo comentar con ella su
comportamiento, su ingratitud, en lugar de secundar mis
amargas reflexiones ha preferido siempre cerrar el pico y
abstenerse dignamente de toda queja o censura. La
aplaudo en su actitud; es noble y la respeto; pero esta vez
le saqué a relucir de nuevo el tema de otra manera, al sesgo; no más que para ver qué decía.

También es rara esta mujer; a veces da la impresión de
estar en la luna, mientras que otras parecería que no se le
escapa nada. Pues bien, lo que respondió a mi noticia fue:
«Con la Candy, ¿no?» Era una afirmación, más que una
pregunta. Me quedé helado, aun cuando creo que conseguí disimular. Ella sonrió, mientras remachaba todavía el
clavo agregando: «¿No es así como le llaman a la hija de
aquel hombre que tú me enviaste a pedir dinero desde Ultratumba?» (¡Desde Ultratumba, vaya!, ¡hasta Corina!)
Bueno, pues, entonces, si lo sabía, que lo supiera. Yo, por
el pronto, me quedé cortado. ¡Cualquiera adivina lo que
en aquella ocasión hablarían el bigotudo y ella! Jamás
puede uno estar seguro de nada, y menos con estas gentes. Pero reaccioné en seguida, eso sí; y, usando la mayor
desenvoltura de que pude hacer acopio, le repliqué: «¡Sí,
la mismísima! ¿Cómo lo has acertado?» «Pues, hijo,
como de todas tus esclavas, aunque la infeliz no vale un
pito, es la única mejor vestidita, la más presentable...»

¡Otro lanzazo! Me agaché, tragué saliva, y volví a preguntarle:

«Bueno, y ¿qué te parece?»

«¿De qué?»

«Lo que te he dicho: lo del Junior.»

«¡Ah!, muy bien –respondió–; de ese modo su mamá tendrá una nuera lista y bien dispuesta.»

Pese a todo, hube de sonreírme: la antipatía de Corina hacia Nuestra Señora del Adefesio, o como le llame, es algo que no tiene límites. Ése fue su comentario. Pero todavía volvió en seguida a la carga conmigo: «Y ¿cómo lo has sabido? ¿Te lo ha contado la jovencita misma?» «¿Cómo se te ocurre?», le repliqué, algo cargado ya. Pero me desarmó la muy viva: «¿Qué tendría de particular? ¿Es que hubiera tenido algo de particular?» Debí reconocer que no; pero puesto que de todas maneras no era Candy quien me lo había dicho, yo, para mostrarle a Corina que no me duelen prendas, me apresuré a ofrecerle una versión *ad hoc* de lo que había descubierto, y de cómo; a saber, que el granujiento había sentado sus reales, o sus cuartos, en el bar de la esquina, frente al negocio, espiando la salida del personal; y que yo había tenido la curiosidad de observarlo hasta percatarme de que se juntaba con la mosquita muerta; a la cual, por averiguar lo que se estaba cocinando entre una empleada de la casa y el hijo de mi ex amigo, si era cuestión de mera cháchara o tal vez algo más serio, para probarla en fin, le pedí al siguiente día, momentos antes de la hora del cierre, que hiciera el favor de quedarse un rato extra para dictarle una carta urgente; yo tenía ánimo de explorarla, de haberla sometido a hábil interrogatorio; pero la muy ladina, que por lo común se muestra bastante servicial, esta vez se me negó: que la perdonara, pero que no podía quedarse; y

eso, muy nerviosa... Yo le referí el episodio a Corina riéndome; pero lo cierto es que ni la tal Candy me había respondido en forma tan modosa, sino violenta y con deste-
llos de odio en sus ojos achinados, ni a mí me había dado
entonces ninguna risa, sino que, al contrario, ¿por qué
negarlo?, me quedé mordiéndome los labios de rabia;
pues delante de todas las demás se había permitido con-
testarme: «Lo siento muchísimo, señor jefe –¡miren, la
insolente: señor jefe!–, pero va a tener que buscarse otra
que le escriba esa carta, si tanto le urge; yo tengo prisa
hoy». Me quedé callado (¿qué iba a decirle, en presencia
de todo el mundo?); y no necesité levantar la cabeza para
saber que dardearon por la sala miradas de maligna inteligencia de mesa a mesa.

«Muy bien está todo eso; pero lo que yo no veo es de
dónde se desprende el propósito de boda que tú das por
tan seguro», me objetó Corina. Y a su objeción yo no tuve
nada que oponer, porque no podía contarle sin increíble
abuso del factor casualidad la conversación que, sentado
tras ellos en el cine, les había sorprendido, conversación
inequívoca en su significado, bien que a ratos susurrante
y varias veces interrumpida o sumida por el temor de hacerse incómodos. Hay coincidencias pasmosas que de
vez en cuando se producen en el terreno de la realidad,
pero de las cuales no se puede echar mano para salir de
un aprieto, porque resultarían inverosímiles y le llama-
rían embustero o chambón a quien quisiera aducirlas en
su relato. Para el presente caso no había habido, por lo demás, efectiva casualidad. De hecho, mi localidad privile-
giada en el cine no debí agradecérsela al azar, sino a la industria y ese natural ingenio que tantas veces derro-
chamos para oír nuestro mal y averiguar lo que más nos
valiera seguir ignorando. Tal me aconteció a mí. Conven-

cido por testimonio de mis ojos de que en su idilio, superada la fase de palabras y tontas risas, habían llegado ya a las manos, y sabedor de que, cual tantos otros desvalidos amantes, pedían a las acogedoras penumbras del Séptimo Arte puerto discreto para sus deficientes y precarios juegos, esperé al viernes, día en que cambian programa, y adelantándome al cierre de la oficina y a sus presuntas intenciones, me fui para el cine, aguardé, ya dentro, emboscado en el vestíbulo, hasta verlos llegar y –tomados de la manita siempre, cual niños perdidos en la selva– adentrarse por la oscuridad de la sala; y puesto que la suerte me había favorecido haciéndome acertar así de primer intento, ¿por qué no había de seguir favoreciéndome con un asiento vacío a sus espaldas? Me acomodé, y sufrí con cristiana resignación el estomagante espectáculo de una sobonería cuya impaciencia hacían aún más notoria los recursos archiconocidos del convencional disimulo. Ya podrían las autoridades municipales... Pero ¡no importa! Adelante. Tuve paciencia, y esta virtud me trajo los frutos que si bien ácidos y ásperos al paladar, buscaba yo coger, porque al fin y al cabo nada es peor que la incertidumbre. Y ahora, tras haber escuchado las frases agoniosas del gordinflón y las pocas palabras que pude entenderle a esa hormiguita colorada, ya sabía a qué atenerme. No les basta con hacer sus cochinadas, como de seguro las harán, por los portales o en descampado, sino que intentan todavía procurarse ahora las comodidades burguesas del sacramento, no obstante carecer el majadero de oficio ni beneficio (profesión: estudiante), y que ella no pretenderá, supongo, continuar al servicio de la Casa Ruiz, sobre todo una vez que... Digo, lo malo no es que quieran casarse: eso, allá ellos; lo malo e intolerable es que el proyecto se endereza contra mí, que se casan para jorobarme a mí. Pues ese «Séneca» a quien se referían una y otra vez sin que yo consiguiera, claro está, entenderlos al comienzo, resulta que soy yo; sí, bajo tan absurdo alias me aludían; al fin, no me cupo la menor duda; y sospecho que el apodo debe de tener su origen en la fecunda minerva del gallego Rodríguez, de R. Senior, ya que al pavote de su hijo no se le ocurre ni siquiera una sandez por el estilo. ¡Séneca: qué chistoso! ¡Las gracias del gallego! Pues, si lo que pretende sugerir el mote es que yo no soy ningún Séneca, más tontos serán ellos, que creen reírse de mí sin que yo lo sepa, y no se percatan en cambio de que los estoy escuchando con la nariz metida entre sus dos cogotes. ¡A la eme, la ralea toda de los Erre, y con ellos, de paso, doña Candy! La cual Candita, por si fuera poca ignominia, todavía, al día siguiente, va y se permite la avilantez de desacatar a su jefe en los términos que consignados quedan...

Cuando tan públicamente se descaró conmigo, pensé al pronto que, temerosa de la escena en perspectiva, quería evitársela a todo trance; «pero ¿qué escena –me rectifiqué en seguida–, si ella ignora...?» Ni soñaba, la muy incauta, que yo los había oído despotricar contra su santo patrón. Por consiguiente, la prisa que mostraba era sólo para irse a restregar con el bigardo cuyas amplias espaldas estarían ya a aquellas horas apontocando la esquina. Prueba adicional, si la hubiera necesitado, de cómo andaba el asunto entre ellos. Me dejó, pues, rabioso y cavilando.

Al otro día de mañana, no comparece. Acude al trabajo después del almuerzo, y yo, que no me digné contestar a sus «buenas tardes» ni le dirigí en toda ella la palabra, me limitaba a observar con impresionante calma el curso de los acontecimientos. Había calculado que ella misma buscaría una explicación, y no me equivoqué: en efecto, se quedó allí a la hora de salida mientras el resto del personal desaparecía con celeridad mágica. Pero cuando estuvimos solos como dos fantasmas en la oficina, y yo fingía repasar los papeles de mi mesa, siento que me ladra, muy destemplada, desde la puerta de mi escritorio: «Bueno, vamos a ver ahora qué carta es ésa tan urgente que ayer querías dictarme». Fue como una explosión; tras de la cual se quedó aguardando ahí con los brazos cruzados en actitud de desafío.

Tan excitada parecía, que inmediatamente consideré oportuno desechar el elaborado plan de ironías y desdenes con que tenía pensado encararla, y opté por los métodos suaves. Le reproché su acritud, sus desconsideraciones para conmigo; y que, después de todo lo que yo había hecho en su favor, fuera tan inconsciente, y no vacilara en ponerme en ridículo yéndose a hocicar con un adolescente imbécil. ¡Señor, aunque más no fuera por cuestión de prestigio!... En demérito del joven Rodríguez le solté cuanto se me vino a la boca; quizás demasiado. Me fui del seguro, quizás, pero ¡mejor!, ¡que se embrome!

Ella, aunque se hacía la indiferente y afectaba escucharme como quien oye llover, no perdía palabra de mi sermón (¡si la conoceré yo!); y mis palabras, ésas o quizas cualesquiera otras que yo hubiera podido pronunciar, eran leña echada al fuego iracundo que ardía bajo su mueca de sarcasmo. Por ahí no íbamos a ninguna parte; me di cuenta y resolví abandonar el tema; propuse las paces, me humillé un poco, y, al notar que empezaba a ablandarse ya, me apliqué a acariciarla. Me rechazó al principio, y luego se dejaba hacer poniendo cara de resignación infinita; la conduje a nuestra celda secreta; y cuando –para seguir con el eufemismo adelante– hube acabado de dictarle la pretextada carta, que no resultó ser urgente por cierto, sino más bien desganada y rutinaria, se levantó y fue a arreglarse con el suspiro de alivio de quien ha rematado por fin penosa aunque ineludible obligación.

Por el momento, una cosa al menos era clara: que la muy necia estaba interesada en el granujiento –y no diré enamorada porque detesto echar mano de las palabras mayores–. Tendido sobre la cama aún, la veía yo pasarse el peine, pintarse los labios a toda prisa para salir disparando a reunirse con él y poner al pobre «Séneca», entre los dos, como un guiñapo; y de pronto, la tristeza que llenaba mi alma se cuajó en indignación. ¿Por qué tenía yo que humillarme, y soportarlo todo? ¿Por qué? De un salto me puse en pie, y le dije conteniendo la rabia: «No corras tanto, nena, que quiero hablar contigo». A través del espejo divisé una mirada de estupefacción, casi de terror. Se volvió y, ahora hecha una fiera, me gritó sordamente: «Pero ¿qué más quieres ya?»

«Calma, calma; un poquito de calma», le recomendé. Esta vez estaba dispuesto a no dejarla que me comiera. Le hice tomar asiento y, en seguida, con crudeza implacable, empecé a cantarle las verdades: su ingratitud, su perfidia, sus jugarretas indecentes, quedaron descritas sin paliativo. Ella aguantaba el chaparrón en la actitud impasible de siempre: un buen truco. Y ni siquiera la mención que hice de «nuestro común amigo Séneca» (y era, no puede negarse, una sorpresa táctica, un buen golpe de efecto), ni siquiera ese recurso le hizo abandonar su gesto de resignado aburrimiento. «¿Qué respondes a todo esto?» Nada; ella no tenía nada que responder. Se limitaba a preguntarme por su parte si había terminado mi perorata, si podía marcharse ya.

Ganas me dieron de contestarle que sí, y que para siempre. Sin embargo, todavía quise arreglar las cosas y, suavizando algo la dureza de mi tono, procuré brindarle una salida. Yo era, después de todo, un espíritu comprensivo, como creía habérselo demostrado con creces en repetidas ocasiones; y, por supuesto, no dejaba de advertir que ella, una víctima también, cedía a consideraciones que en principio son respetables y atendibles; se sacrificaba, y me sacrificaba de camino a mí, ante afectos que pueden resultar en el fondo egoístas, abusivos; de modo que la exageración de ciertas virtudes en sí mismas laudables, como la obediencia filial, conduce fácilmente a extremos viciosos...

Aquí, abandonó Candy por fin su empecinada comedia de la indiferencia, y me preguntó, picada, que qué quería yo dar a entender con esa retahíla. ¡Muy bien! Me consideré victorioso. «¿Te piensas tú, bobita, que yo no me doy cuenta de todo? Ya sé que a tu señor papá no le basta, a la fecha, con el bienestar de que disfruta gracias a mí; pues la gente, y ello es humano, jamás pone coto a sus ambiciones; de manera que, no me lo niegues, es él quien te empuja para que pesques, envuelto en tus redes, a ese pobre muchachito. Así tendríamos a Don Bigotudo convertido en consuegro de tan influyente personaje como Luis R. Rodríguez. No estaría nada mal, ¿eh? ¿Qué me dices? ¿No he puesto el dedo en la llaga? Y ahora, preciosa mía, veamos cómo era aquella payasada que haces tú con los ojitos.»

Parpadeó, pálidos los labios bajo el *rouge*, y –nunca lo hubiera creído– me cruzó la cara. Desde luego que manos más o menos blancas no ofenden; pero jamás lo hubiera creído.

Al otro día de mañana, y también en contra de lo que esperaba yo, al atravesar las oficinas de paso para mi escritorio, me la encuentro instalada como si tal cosa ante su máquina.

Ya lo sé; desde el momento en que no hubiera podido de ningún modo poner mis cartas sobre la mesa, fue una tontería por mi parte (y cuando de verdad las cometo, no vacilo en reconocerlo) el intento de sincerarme, en la medida de lo posible, con Corina sobre la cuestión «Candy & Junior». No adelanté nada, y sólo saqué en limpio una convicción poco confortadora: la de que Corina me conocía el juego.

Pero ¿hasta qué punto lo conocía, y hasta qué punto estaba faroleando? ¿Con qué se habría destapado en aquella ocasión el bigotudo mensajero que –otro error mío– tuve la debilidad de enviarle desde Ultratumba, o qué le habría sonsacado Corina al Bigotudo? Con maña, me propuse averiguarlo.

Y como hay casos en que la maña consiste en renunciar a ella e irse derecho al bulto, le anuncié sin más preámbulos: «Oye una cosa. El otro día empleaste conmigo ciertas reticencias que quisiera aclarar». Estábamos desayunando. Corina embadurnaba con mantequilla una tostada, y ponía en la operación prolijidad golosa. Sin dejar lo que estaba haciendo, me remedó: «¡Reticencias! ¿Qué son reticencias? Desde hace algún tiempo, hijito, hablas como un libro».

Creo que me puse colorado –de la rabia, supongo–. No era la primera vez que alguien se burlaba de mi lenguaje, y ni faltó un desgraciado que en la tertulia del casino me acusara de expresarme «como un culto periodista», y aun de plagiarle los dichos al gallego, lo cual no es cierto; pero no iba a meterme en explicaciones: la verdad es que si uno se dedica a escribir, sea o no en secreto, es natural que poco a poco se le vaya refinando el lenguaje. Pero ¡que piensen lo que se les dé la gana! Como no quería yo desviarme de mi propósito, le contesté a Corina muy tranquilamente: «Tú sabes demasiado bien a lo que me refiero. Y me vas a decir sin ambages –aquí, temo que volví a sonrojarme; agregué–: y con toda claridad, qué fue lo que conversaste aquella vez con el padre de esa chica, la Candy».

De momento, no replicó nada, como si la absorbiera por completo su preparación de la tostada y, en seguida, el placer de saborearla. Yo aguardaba, con la taza de café suspendida a la altura de la boca para subrayar mi expectativa.

«Puesto que tanto parece interesarte, ningún inconveniente tengo en contártelo, y es lástima no haber grabado el ameno diálogo con esa maquinita que tienes tú en la oficina; así podrías escucharlo palabra por palabra, hasta con sus mismas pausas y entonaciones. Pero en resumidas cuentas todo se reduce a que el pobre tipo llegó a la puerta y preguntó por mí, dos o tres días, o quizás cuatro –no recuerdo exactamente–, después de tu desaparición, y tan pronto como me tuvo delante sacó del bolsillo de su camisa un papel y me lo dio a leer sin decir palabra. Supongo que no necesitarás que te recite lo que esa carta traía; supongo que, antes de que la avisada jovencita la echara al correo, le habrías dado tú ya el visto bueno, si no es que se la habías corregido o incluso dictado...»

Calló Corina, a la espera de mi reacción. No hubo reacción de mi parte; ni confirmé ni negué; seguí escuchando. Ella, en vista de eso, no se privó de hacer comentarios mordaces acerca de la que calificaba de «inocente criatura». «Mientras conseguí yo descifrar sus falsos garabatos –agregó–, me dio tiempo para reflexionar, y apiadarme, y mentirle a aquel infeliz mi confirmación de toda la trama.» (Así, pues, el «infeliz» había tenido la malicia de mostrarle la carta, en vez de atenerse a las puntuales instrucciones que en su texto se le daban: ¡infeliz!, sí...) «Lo tranquilicé –continuaba explicándome Corina–, y llegué hasta asegurarle que mía había sido la idea de hacer que te acompañara su hija, la empleada de más confianza que teníamos en el negocio, tomando sobre mí la responsabilidad –pues tú te resistías a ello–, y comprometiéndome ante la familia, que sabría comprender, ¿no es cierto?, en atención a las circunstancias, tan apretadas y difíciles, etcétera. Sí, hijo mío; por el bien de todos, no tuve inconveniente en mentir. Aprendí en ese momento que puede mentirse sin vergüenza, y aun derivar de la mentira sentimientos de orgullo; incluso satisfacerse en que el engaño salga redondo como una pequeña obra de arte; pues el buen hombre se fue para casa lo más convencido; qué digo: contento, agradecidísimo. Ya lo ves, siempre es tiempo de aprender alguna maña nueva en la vida. Y bien puedo decir que fuiste tú quien me enseñó ese arte, que suele considerarse femenino, de urdir y tramar; el arte de Penélope, ¿verdad? Creo que estarás satisfecho de tu alumna. En fin, el pobre señor se quedó tan conforme; respiró, como a quien le quitan un peso de encima.»

«A pesar de que, por el contrario, se llevaba en el bolsillo un buen puñado de ellos –repliqué yo–. Porque supongo que en su alivio, en su alegría, no se le ocurrió renunciar a esa especie de indemnización que...»

«No renunció –dijo Corina después de haberme echado una mirada no sé si de odio o de desprecio, o que me pareció tal (a ratos pienso que está poniéndose chiflada)–. No, señor, no renunció –volvió a repetir con una voz ronca donde parecía ahogarse un grito de histeria (pues desde hace algún tiempo, quizás que se le acerca la menopausia, está de veras insufrible)–. ¿Por qué querías que renunciara? Hubiera renunciado si pudiera sospechar que la señora doña Corina le estaba mintiendo, y que se trataba en efecto de una indemnización. Entonces sí, hubiera renunciado al dinero... Claro está –agregó tras de una pausa con intención mortificante–; a ti te hubiera gustado que renunciara.» Y se quedó mirándome, la muy estúpida, como si fuera tan raro, tan extraordinario y cosa nunca vista que uno prefiera, si puede, ahorrarse una erogación no mínima. A esta Corina cada vez la entiendo menos. Según parece, algunas mujeres se ponen medio dementes cuando les va llegando la menopausia.

3. Las bellezas

Si bien se piensa, jamás hubiera debido ocurrírseme hablarle de este asunto a Corina. Los resultados eran previsibles. Por lo que ignorase, por lo que pudiera barruntar, aun por el mero hecho de ser mujer, el punto de vista de la esposa legítima tiene que ser siempre tendencioso. Y si por alguna debilidad de mi carácter necesitaba yo sincerarme con alguien, también debió de acudirme a las mientes la idea de que la persona indicada lo era en verdad el amigo Doménech, hombre de mundo, baqueteado por la vida, quien, además, no teniendo en el lío arte ni parte, estaba sin embargo interiorizado, de manera que ni siquiera hacía falta ponerle en antecedentes ni extenderse en explicaciones más o menos embarazosas. Media palabra le bastaría a este buen entendedor. Y así, decidí aprovechar la primera oportunidad para deslizarla en su oído y desencadenar con ello la grata melodía de sus opiniones y consejos.

Esa oportunidad no tardó en presentarse, y era óptima. Me la ofreció el evento social que anualmente organiza INCOLO para elegir reina de la belleza. Jurados él y yo, con otras cinco autoridades en la materia, para fallar su concurso, el acto, solemne, sí, pero alegre y bullicioso, en que debía proclamarse nuestro veredicto proporcionaba la atmósfera adecuada para una consulta que no podía revestir demasiado empaque, pero a la que, por otro lado convenía preservar del consabido relajo, chacota y jarana, naufragio habitual de tantas y tantas cosas en este país nuestro donde la gente se avergüenza de tomar nada en serio. Ciertamente, hubiera sido impropio hablarle ahí al amigo Doménech ni de créditos, ni de financiaciones, ni de moratorias; a la hora del concurso anual de belleza nadie quiere acordarse de que la entidad patrocinadora, IN-CO-LO, es anagrama de la asociación de la Industria y el Comercio Locales; la perspectiva inminente de una nueva miss Incolo llena el aire de frívolas expectativas que excluyen toda preocupación grave, por mucho que el concurso mismo no carezca de seriedad, y aun de dramatismo; casi nunca faltan lágrimas, suele haber rociadas de improperios (¿y quién no recuerda el disgusto padre que aquella pobre necia nos dio hace tres o cuatro años con su tentativa de suicidio, probablemente simulado?), pues la verdad es que las concursantes desairadas, rara vez se resignan. Por consiguiente, si queremos que nuestra decisión merezca algún respeto, los jurados debemos mantener un continente digno y evitar con cuidado exquisito la más leve apariencia de broma.

Este año la fiesta lucía brillante como nunca. Es natural: la ola de prosperidad que el cielo nos ha concedido eleva cada día más el prestigio de INCOLO, y cada vez es mejor la vitola de las bellezas que aspiran al superior galardón. De seguir esto así, no veo lejana la fecha en que se disputen el título de miss Incolo hijas de las grandes familias, nuevas y antiguas: bastará con que, de pronto, se decida una. Sin llegarse todavía a ese desiderátum, es lo cierto que este año hemos debido elegir entre un grupo muy granado de encantadoras criaturas, donde figuraban algunas de nuestras mejor conocidas y más reputadas artistas jóvenes: la preciosa Flor Silvestre, con sus popularísimos mohínes; Cachita Loló, que antes de que pase mucho tiempo se habrá puesto hecha una vaca, pero que hoy por hoy es un bomboncito; la rubia Serafina López, que hasta compone versos, qué me dicen ustedes; aquella cucaracha de Tinita, la que me llamó baboso ahí mismo, en el Casino (pues, como nadie ignora, es en el salón grande del Casino donde se celebran estos concursos), ¡y que no estaría ahora poco pesarosa de su grosero desahogo!; así como otras varias, hasta dieciocho, fiadas en que la exhibición de sus perfecciones físicas, si no la conquista del soñado título, ayudaría cuando menos a hacer notorias sus dotes lírico-cantantes. ¿Cómo no había de matarse la gente por conseguir invitación? La sala rebosaba de público desde mucho antes de la hora anunciada para iniciar el acto; y en medio de aquel agitado piélago de cabezas ansiosas, sólo la tarima instalada en uno de sus extremos se veía desierta, como un islote, con su larga mesa adornada de flores, y los micrófonos que había de usar un relator, erguidos ellos también con floral prestancia, a la espera de las autoridades que presidirían la ceremonia.

Llegaron, o llegamos, las susodichas autoridades y, una vez apaciguado el oleaje que nuestra entrada concitó en la sala, pudimos, encaramados allí, deleitarnos con su hermoso aspecto. Desde las paredes, los padres de la patria, en imponente galería de retratos ceñudos y barbados, vigilaban como siempre y tácitamente aprobaban las actividades sociales de la generación actual. Quizás tengan razón los delicados para cuyo gusto esa serie de cuadros, pertenecientes a épocas distintas, como que conservan la imagen de próceres sucesivos, desde el período colonial hasta la ampliación fotográfica del Presidente Bocanegra, instalada, no sin algunas protestas, recientemente (muy desiguales, además en mérito –los cuadros, digo: pero, ¡bueno! también los próceres mismos–), esa galería tan despareja estropea, afirman, la armonía del conjunto, quiebra el estilo del ambiente y pone en el marco de nuestras reuniones una nota demasiado adusta para el desenvuelto espíritu contemporáneo. Pero dudo mucho que prospere jamás la sugestión que algunos cautelosamente deslizan de desterrar a los próceres del salón de fiestas y distribuirlos por las paredes de oficinas, pasillos y salas de sesión; pues ¿quién se animaría a afrontar las iras de tantos distinguidos socios como pretenden ser descendientes directos o indirectos de alguno de aquellos patricios, y que amenazarían sin duda con darse de baja armando un escándalo en la prensa? De todas maneras, el salón había sido adornado para la ocasión muy convenientemente. Sobre el rojo carmesí de las paredes se habían prendido alegres gallardetes, vistosas oriflamas; y los colores nacionales, que cubrían en franjas de percalina el frente de nuestra mesa, triunfaban por doquier en escarapelas gigantes, en lazos y hasta en el artístico *bouquet* colocado en medio de la propia mesa: de modo que aquellos oscuros retratos quedaban perdidos como nichos, como agujeros abiertos hacia un pasado cuyo soplo gélido no alcanzaba siquiera a percibirse en la encendida atmósfera de la fiesta.

Poco a poco, y con las inevitables lentitudes, había comenzado a desenvolverse la ceremonia, y Ochoa, el simpático Ochoíta, que actuaba como secretario-relator, ha-

bía voceado ya no sé cuántos anuncios. Estaba integrada
la mesa del jurado, bajo la presidencia del venerable don
Ano-Ano, que no se daba abasto («¡Señor Medrano!»,
por acá; «¡Don Cipriano!», por allá); y presentes, cada
cual en su sitio, los restantes miembros, que lo éramos: el
sempiterno Luis R. Rodríguez, por *El Comercio*; Doménech, como personalidad financiera; la promotora radial
señorita Alicia Albertona, en su calidad –por lo visto– de
experta en cuestiones de belleza femenina. Ochoíta, el re-
dactor de *El Tiempo*, quien según queda dicho, actuaba
de secretario; Galindo, el de los helados y refrescos marca
Tierra Feliz, y un modesto servidor, ambos en nuestra
condición de industriales, designados una vez más por la
directiva de INCOLO para representar a la entidad patrocinadora del concurso. Ya el señor Medrano, con la acostumbrada y eficaz combinación de frases ingeniosas al-
ternadas con frases sentimentales, se había despachado
su discurso; ya las concursantes, presentadas una tras
otra por el ditirámbico Ochoíta, habían desfilado garbo-
samente ante la mesa y, recibida la ración respectiva de
públicos aplausos, sus bellezas desnudas aguardaban
ahora, apelotonadas a un lado y sudando bajo tanta luz,
cuando pude detectar por fin, entre la multitud espesa, en
el fondo de la sala, muy juntitos, a mi Candy con el odioso
Junior Rodríguez. No para otra cosa, claro está, había
mostrado ella tanto interés por asistir a la fiesta, cuya entrada creí prudente en último extremo proporcionarle yo
mismo: para –lo que sin duda constituía una provocación– reunirse allí con él a ciencia y paciencia mía, y juntar los cocos delante de mis propias narices.

Por lo demás, me lo esperaba; era infalible. Durante
mucho rato, desde que nos instalamos los del jurado en la
tribuna, estuve buscándola en vano con la vista. No resul-

taba fácil localizarla: el público, donde sólo las remilgo-
sas y vetustas de costumbre brillaban, a Dios gracias, por
su ausencia, era –ya lo he dicho– denso, bullicioso, move-
dizo, inquieto, entusiasta, y colmaba el salón hasta rebo-
sar sobre la terraza por las puertas del fondo. Nunca antes había habido tantísima afluencia; quizás, como
conjeturó a mi lado alguien, porque pululaba ya una nueva generación más pujante, más audaz y, sobre todo, más
numerosa, pues, en efecto, por allí se movían los nietos
del venerable Medrano, que son incontables; los Tres
Charros, sobrenombre con que se han quedado los hijos
de Doménech desde que regresaron del exilio hablando
como en las películas mexicanas; sus primos, los Rodríguez, no sólo el Junior de mis pecados, sino los demás; la
tribu de los Galindo; etcétera, etcétera; una juventud que
seguramente crecerá libre de esos empachos que a ciertas
ilustres matronas las mantienen alejadas de festivales semejantes. Que se queden en casita, muy dignas, doña Corina y la misia Doménech, alias la Puritana, alias la Mís-
tica: sus esposos respectivos no vamos, por cierto, a
persuadirlas en contrario; bueno es que ellas se encar-
guen de guardar las distancias. Pero temo que será trabajo perdido, señoras mías, y que no tardarán mucho, ¿qué
digo en acudir a la fiesta?, ¡en presentarse al concurso!,
los más copetudos nombres de nuestra sociedad capitalina: en algo ha de notarse el progreso de los tiempos.
¡Quién sabe si entre esas chiquitas que, en grupos travie-
sos y gritones, alborotaban ahora la sala mezcladas con
sus hermanos y compañeros de escuela en uso de una libertad que sólo provisionalmente creen consentir a su in-
fancia madres gazmoñas, retraídas y altaneras, se encontrará la miss Incolo de aquí a no más de seis u ocho
años!... Yo apostaría hasta a que eso es lo más probable.

Pero, volviendo a la realidad de hoy (puesto que, como bien dicen, cada día tiene su afán): apenas descubrí entre el apretado público las cabezas secreteadoras de la Candy y su Rodrigón, me incliné yo también al oído de Doménech, que estaba sentado al lado mío, y llamándole la atención sobre la parejita, le prometí: «Recuérdeme luego que le haga un comentario sobre ellos». Esto, para despertar su curiosidad. «¡Diga, diga!», me respondió, en efecto. Pero antes de que yo pudiera explicarle nada, tuvimos que distraernos en una discusión, por no llamarla pintoresca riña, que se había entablado en el centro de la mesa entre la señorita Albertona y nuestro presidente, el venerable don Ano-Ano. Al parecer, la promotora de radio estaba empeñada en conseguir a todo trance que se adjudicara el título de reina de la belleza a una gorducha sonriente y cretina a quien, muy convencida, recomendaba ella como «muchacha formal». «Si lo dice usted en consideración a la abundancia de sus formas –chistoseaba el venerable anciano–, entonces no hay duda: formalísima; pero en tal caso, ¿qué hacemos aquí nosotros? No hace falta el jurado: basta con una balanza.» Y la indignada Albertona, pálida de rabia, apelaba a Doménech, a mí, a Rodríguez, que estaba a su lado (mientras el eficientísimo Ochoíta se desgañitaba al micrófono diciendo sandeces), para tomarnos por testigos en su aseveración de que con este señor Medrano no había manera de hablar en serio; agregando, venenosa (pues la cólera desmentía en su boca el buscado tono humorístico): «A lo mejor es que don Cipriano tiene particular interés en alguna candidata; pero, si es así, más vale en tal caso que nos lo diga francamente, para que todos procuremos ayudarle en su empeño». ¡Bueno era nuestro patriarca para dejarse apabullar por ninguna feminista! «¿Yo? ¡No, señorita; yo, no!

A mi edad, imagínese, ya uno está retirado de semejantes trotes. Eso, ustedes, que son jóvenes todavía. Y en cuanto a su protegida –ahora, fuera de bromas–, no seré yo quien diga que está mal; al contrario, le alabo el gusto; se ve que usted, señorita Albertona, conoce bien el paño. Pero con todo, no me negará que hay también otras alternativas bastante competentes.»

A esto, Ochoíta, prendido al micrófono, trataba desesperadamente de distraer al auditorio. «Como apreciarán ustedes –proclamaba, enfático–, el jurado procede en estos mismos instantes a discutir con acaloramiento (y no es para menos, señores) acerca de los méritos respectivos que adornan a esta féminas –y al decirlo, se inclinaba hacia el montón de cansadas bellezas que, empinadas sobre los altos tacones, apenas conseguían mantener erguidas las espaldas y fija la sonrisa en la tensión de la espera–. ¿Cómo elegir –se preguntaba Ochoíta– entre las distintas flores de tan delicioso ramillete?» Pero desde el público, menos perplejo, salían respuestas estentóreas, fanáticas, inconcusas: «¡Tinita!», gritaba uno. «¡Flor Silvestre, animal!», proponía otra voz. «No. ¡Cachita! ¡Cachita de mi vida! ¡Um!» Sufragios encontrados, que anulaban recíprocamente su valor de plebiscito.

Y, entre tanto, la discusión del viejo y la Albertona se había ampliado, y diluido, por mediación nuestra. Terciamos, en efecto, conciliadores, y la distinguida promotora radial, tragándose la furia, empezó a batirse en retirada. Diplomático, había sugerido Doménech que tampoco podía descartarse de plano a la gorducha; eso, ni mucho menos; pero había que considerar con cuidado otros factores... Y Rodríguez abundó en la idea, extendiéndose en consideraciones prolijas acerca del significado y alcance de la ceremonia, y la dificultad de satisfacer a *tutti quanti*,

dado que quienes compiten son siempre jovencitas apeti-
tosas, y ya con la adjudicación de la manzana de oro hubo
lío en el primer concurso de belleza que la memoria humana registra. Sabido es que, en materia de gustos... Por
consiguiente, si de veras deseamos asegurar el éxito de la
fiesta, menester será que la agraciada con el galardón,
además de serlo ya de por sí naturalmente, reúna otras
cualidades complementarias: simpatía y arrastre, despar-
pajo para presentarse, despejo en su trato con los periodistas y, sobre todo, una personalidad popular, personalidad nueva, sí, pero no desconocida; a ser posible, una
artista de porvenir cuyo nombre se vincule siempre en el
futuro con el título de miss Incolo. Mucho fárrago, para
arrimar el ascua a su sardina, que lo era, según todos pudimos darnos cuenta en seguida, la Tinita famosa. Vivo el
gallego, ¿no? ¡Hasta ahí podía llegar la broma! Pues ¡eso,
nunca! Por mí, cualquiera antes que esa mulatica desver-
gonzada. Cualquiera, digo; incluso, ¿por qué no?, el budín
soso de la señorita Albertona, y que le hiciera buen provecho. Valiente cosa lo que se me importaba a mí.

«Digan, ¿tienen ustedes algo que objetarle a esa estatua
de bronce?», insistía el gallego. Desde el punto de vista
«estatua de bronce», desde luego que no. Vestida aun podría parecer algo delgada: falsa impresión, porque lo que
es desnuda... En mi fuero interno, tuve que reconocer que
había sido una insensatez por parte mía el compararla,
como lo había hecho en ocasión memorable, con la pobre
Corina. Mucho debió de cegarme aquella vez el despecho.
¡Qué disparate! Aunque más no fuera, porque los años
son siempre los años. Anoche mismo estaba observando
yo casualmente a mi estimadísima consorte mientras se
desvestía: los muslos se le han puesto tremendos, con car-
nosidades sobre la rodilla; y también la barriga sale di-

ciendo: aquí estoy yo. Claro: ella come, y come, y lo único que hace con interés es engullir. Lógicamente, engorda. ¡Allá ella! En cuanto a la estatua de bronce: ¡inobjetable, señor Rodríguez!; pero será con mi voto en contra.

No tuve, por suerte, que dar la batalla. Cada cual traía en cartera sus propias preferencias, que eran incompatibles entre sí, y después del forcejeo resultó por fin elegida (para desencanto del respetable público, que promovió escándalo formidable) la poetisa Serafina López, rubia cursilona en quien nadie había pensado al comienzo y quien, apenas proclamado el fallo y mal apaciguados los abucheos, por iniciativa del siempre oportuno Ochoíta recitó ante el micrófono una de sus increíbles poesías, haciendo mofa, befa y ludibrio del auditorio iracundo.

Ya la cosa no tenía vuelta. Mientras la señorita Albertona, con cara de turco, tascaba el freno, su budincito sonreía estúpidamente. La estatua de bronce, creyendo tal vez adivinar en mis ojos algún chispazo de alegría malsana, me insinuó con disimulo, desde su sitio, un corte de mangas. Algunas hacían abandono de su apostura como quien se descarga de un haz de leña, mostrándose desgalichadas, con la mirada triste; pero otras, irguiendo todavía su desnudez sudona sobre los altos zapatos, adoptaban una expresión radiante de buenas perdedoras y, por señas, procuraban contener la excitación agresiva de sus respectivas mamitas, que, entre el público, protestaban de la injusticia con gritos y gestos.

Para qué decir, el calor que se sentía en la sala. Todo el mundo se había puesto en movimiento, mientras que Ochoa, insustituible, procedía, bajo la férula del patriarca don Ano-Ano, a las rutinas inacabables e innecesarias formalidades postreras de estos actos, a las que ya nadie presta la menor atención.

Había llegado, pues, el momento de insistir con Doménech, quien, sin acordarse más de lo que le insinué antes, se aburría a mi derecha. Acerqué los labios a su oreja peluda, previo toquecito en el brazo, y como quien cuenta algo divertido aunque indiferente, una mera curiosidad, le hice saber que al gaznápiro de Luisito Rodríguez, o mucho me equivocaba yo, o cualquiera de estos días íbamos a verlo retratado en la página social de *El Comercio* llevando del brazo a la encantadora Candy, bajo corona de azahar y blanquísimos cendales. «¿Qué me dice?», se sorprendió Doménech. «Y ustedes, como parientes del novio, no faltarán a la boda», agregué yo para reforzar el efecto, pues misia Doménech, la Puritana, pertenece a la misma familia que doña Adefesio Rodríguez: son primas hermanas, creo, y ambas al parecer bastante insoportables cada cual en su estilo, por engreída la una y la otra por tonta.

«¿Qué me dice usted?», se había sorprendido Doménech. Pero detectando en seguida la inquietud que –no he de negarlo– se ocultaba tras la aparente ligereza risueña de mi tono, se apresuró a ofrecerme (es formidable de veras, este Doménech) sus buenos oficios de amigo, para averiguar, dijo, si mis sospechas estaban fundadas o era –como añadió, riéndose– que el fantasma de los celos me torturaba. «No puedo creer –agregó, y confieso que me resultó confortador el oírselo–, mucho me extrañaría que muchacha tan discreta quisiera imaginar semejante disparate. Por lo pronto, ella es mayor que él, y en esa edad dos o tres años de diferencia a favor de la mujer significan decenios de madurez mental. Luisito es todavía una cándida paloma... Déjeme, querido Ruiz, que yo explore, y veremos.»

Le hice confianza, agradecido.

El amigo Doménech tomó la cosa mucho más a pecho de lo que hubiera podido esperarse. ¿En honor a nuestra amistad? Lo dudo. ¿Por simpatía al Junior? Menos. ¿Qué podía importársele del Junior? Supongo yo que más bien por quitarse quebraderos de cabeza domésticos. Los chicos Rodríguez y sus propios hijos, los Charros, eran primos y, lo que es más, amigos inseparables. Con los Galindo, con el Trueno Buendía, con el menor de los Puig, y con otros varios por el estilo, pertenecen a la misma pandilla, banda temible cuyas hazañas, más estúpidas que malignas, quieren impresionar al mundo y sólo consternan a las familias de sus componentes, que deben pagar siempre los vidrios rotos. En cuanto a Doménech toca, pechaba sin pena y acudía a la composición o reparación de daños renunciando a averiguar detalles acerca de si sus propios hijos habían sido o no autores materiales de la correspondiente fechoría: lo que le pesa de ello es –dicen– el contragolpe, o sea, las escenas oprobiosas que su Puritana monta, reprochándole con alarde de lágrimas y demás dramáticos excesos la lenidad, el verdadero abandono en que –tal es su opinión– permite que se críen unos muchachos ya hereditariamente envenenados –sugiere, afirma– por la mala sangre de los Doménech, y encima, víctimas todavía en su educación del estrago moral que suponen esos años de México, a donde su progenitor los había arrastrado y donde los había mantenido contra la voluntad de la madre, quien se complacía en definirse a sí misma como un cero a la izquierda. En todo lo cual quizás había algo de verdad, como siempre ocurre con las recriminaciones conyugales... Desconozco en sus pormenores la fuga de Doménech, cuando Bocanegra, tras haberlo tenido preso, lo dejó en la calle con lo puesto. No eran momentos para que uno se pusiera a averiguar, sino más bien para hacerse el tonto y esperar que pasara el nublado. Pero sé y me consta que, reunida en el exilio la familia toda, muy pronto decidió la buena señora regresarse alegando que era bochornoso andar huidos como criminales, y que *ella* no era una criminal; que *ella* no tenía nada que echarse en cara ni, por lo tanto, nada que temer. Con lo cual, él le permitió irse a las pocas semanas llevando consigo a la niña, de unos tres años entonces, pero reteniendo en cambio a su lado a los tres varones. Y por supuesto que a *ella* no le pasó nada; no sufrió represalia alguna; pero lo que le valió no fue –y esto es seguro, pues el propio Rodríguez tuvo a gala contármelo cuando éramos íntimos–, lo que le valió no fue su prosapia ilustre, de que tanto presumía y en que pretendía fiar, sino la protección del gallego, rogado e importunado de su esposa: el gallego que, como periodista, brillaba conspicuo en el coro de los paniaguados y lambiscones de Bocanegra, y cuya consorte, Nuestra Señora del Adefesio, era prima hermana de la Puritana, y tan puritana como ella, con sus mismas grandezas, chifladuras y pamplinas.

Conociendo algo de su ambiente doméstico, fácil resultaba comprender que Doménech temblaba ante la perspectiva de inmensas latas, tragedias ridículas, frases heroico-grotescas que sin duda le aguardaba oír en el caso de que por ventura saliera cierto mi pronóstico. Los reproches idiotas, al repetirse sin cansancio, producen sobre el ánimo de quien los escucha el mismo efecto acumulativo del interés compuesto; y la explosión que por último provocan es, a su vez, fuente de nuevos agravios; de modo que aquello era el cuento de nunca acabar: un cuento empedrado de frases hechas tales como la de «Esos hijos tuyos», o «La sangre –sangre plebeya, se sobrentiende– de los Doménech», una sangre que ella de-

testaba aun en sus propias criaturas, creyendo sorpren-
der con suspicacia refinada alguna especie de tácita cons-
piración, un secreto entendimiento de miradas y hasta de
silencios entre sus hijos y su marido, a espaldas suyas. Si
al Junior Rodríguez se le antojaba hacer la sandez que
anunciaba yo, habría reuniones familiares, conciliábulos,
trifulcas, y al final, mediante los rodeos más imprevisi-
bles y con los más ridículos argumentos, milagro sería
que toda la culpa no recayera sobre la cabeza de Doménech. Quien, para evitarse el chaparrón...

En efecto, no bien pudo abandonar la mesa del jurado,
lo vi evolucionar por la sala, revuelta y ya menos repleta,
pues había comenzado la desbandada, acercarse a sus
chamacos, darles quizás alguna instrucción, palmearle
las espaldas al Junior Rodríguez, hablar dos palabras con
algún otro por allá y –meta de su vagabunda excursión–
hacer por fin un breve aparte con la Candy –breve, pero
destinado, según luego me dijo, a tener continuación en
más discreto lugar y circunstancias...

Cuánto se lo agradecí, no hay que decirlo.

4. Un fino obsequio

Tampoco es necesario decir que a todo el mundo le gusta recibir regalos. Sobre todo, cuando no se los espera. Y esto es lo que me pasó a mí anteayer: que, de regreso a casa, me encuentro una caja de vinos generosos: jerez y manzanilla, mitad y mitad. Al pronto, pensé que se trataría de una equivocación; pero ahí estaba la tarjeta, para que no hubiera dudas: *Al estimado amigo José Lino Ruiz, de su afectísimo Cipriano Medrano.* Equivocación, no era. Don Ano-Ano me enviaba un obsequio. ¿Por qué? En vano Corina y yo nos quebramos la cabeza tratando de imaginárnoslo. Nuestro trato con el zar de las bebidas alcohólicas había sido hasta entonces superficial, y jamás dio lugar antes a tales atenciones. Tampoco podía explicarme la ocasión de ésta.

De todas maneras, al día siguiente –es decir, ayer– me apresuré a visitarlo en sus dominios, tanto para agradecerle la fina atención como para averiguar su motivo. «No es nada, no es nada, querido amigo», me dijo muy amablemente el simpático viejo cuando por fin alcancé a verme en su presencia. Lo que he llamado sus dominios, o sus posesiones, son en verdad una suerte de fortaleza a la que sólo se obtiene acceso después de pasar por un control en la verja externa, donde un conserje comunica por teléfono con el interior antes de dejar que uno entre, para que lo acompañen a uno escaleras arriba hasta donde se encuentra el magnate. Que me sonreía, benévolo. «No es nada, amigo.» «Pero, don Cipriano, ¿por qué ha hecho eso? No hubiera debido», insistí yo. «Pues ¡cómo no! Yo quería que ustedes prueben esa marca; y me dirá si les ha gustado.» «Es mucha bondad de su parte, don Cipriano; pero no hubiera debido tomarse esa molestia.» Entonces me replicó: «Querido Ruiz: es lo mínimo, la mínima atención que le debía. Usted es hombre que sabe hacer las cosas con una delicadeza extraordinaria, y quiero que vea cómo sé apreciarlo. Sí, señor: una delicadeza extraordinaria. Sin su tacto, dudo mucho que la pobre Serafina hubiera salido adelante, pues yo, por razones obvias, no estaba en condiciones de jugarme a fondo; y quién sabe, a no mediar la hábil intervención de usted, qué percal ostentaría hoy ante el mundo el título de miss Incolo».

Sonreí, desconcertado. No entendía bien lo que quería decirme. Y él, efusivo, agregó todavía: «Amigazo, usted llevó a cabo la maniobra con una habilidad pasmosa. Jamás lo hubiera supuesto a usted tan maniobrero». «Por Dios, señor Medrano; usted me halaga», fue lo único que se me ocurrió contestarle.

La verdad es que nunca salen las cosas tan bien como cuando uno las hace sin darse cuenta. Ese tino con que alcanza a veces la meta quien dispara al azar, esa discreción con que acierta a colocar la palabra oportuna quien no sabe de qué se trata, podrán ser motivo de risa para algunos; a mí, me maravillan. ¿De modo que yo había sido algo así como el instrumento ciego de la Providencia?

Pero ¿de qué Providencia? Por supuesto, que me abstuve
de exteriorizar sorpresa alguna. Hubiera sido una situación muy ridícula, y más para el venerable que para mí
mismo, la de descubrir que me estaba agradeciendo un
favor que yo le había hecho sin percatarme; y que acababa
de revelarme, por error, lo que ignoraba yo y él tenía tanto empeño en mantener oculto. Lo cierto es que si yo no
merecía elogio por mi supuesta habilidad en el caso concreto, tuve en cambio la bastante para seguir el juego
(pues ¿qué, si no?, ¿debía devolverle sus botellas?), y aun
para venderle el servicio que no había tenido intención
de hacerle, pero que de todas maneras le había hecho,
y hecho estaba. «Usted sabe, don Cipriano –le dije–,
que conmigo puede usted contar para todo. Basta con que
sospeche yo que tiene usted capricho en algo, para que,
desde luego, en la medida de lo posible, procure por mi
parte...»

«Sobre todo –insistió todavía el venerable– es su discreción lo que admiro. No me lo hubiera podido figurar.»
«Pues no sé por qué», le repliqué picado. «Hombre, ya estoy al tanto de sus dotes –se apresuró a hacerme justicia,
ahora, el vejete–; pero esta que aplaudo ha sido una obra
maestra de astucia. El gallego Rodríguez estaba empeci-
nado en sacar triunfante a su negrita; a esa marimacho de
la Albertona no había quien la apeara de su protegida;
Galindo y Doménech, aunque más discretos, también tenían sus candidatas (de Ochoíta no hablo, ¿para qué?, ése
es una paloma sin hiel)... En definitiva, era usted quien
podía pronunciar la palabra decisiva; usted, a quien lo
mismo le daba una que otra. ¿Cómo no voy a agradecerle
que captara con tanta perspicacia mi insinuación y em-
pujara a la pobre Serafinita, que bien se lo merece?» «Una
poetisa», ponderé yo.

Por más que me esfuerzo, no consigo caer en la cuenta de cuál sería la insinuación a que se refiere. Ni me acuerdo tampoco de cómo me vino a las mientes la idea de que la desabrida rubia podía sacarnos del atolladero en que habíamos caído. Quizás se me ocurrió proponer su nombre como una broma.

«Comprenderá usted, amigo Ruiz, que a mi edad –seguía explicándome don Ano-Ano innecesariamente– mi interés por la muchacha no pasa de lo puramente espiritual, o más bien paterno. Es hija de un modesto empleado de nuestros almacenes; se ha criado aquí; y en ella veo, antes que nada, la poetisa: su almita de poetisa, pura cual un lirio.» «Tampoco está mal de cuerpo, don Cipriano –observé yo–. Gracias a lo cual...» «Es cierto: nada mal, joven Ruiz; nada mal de cuerpo. El premio, desde luego, se lo tiene merecido. También ella –rió el venerable– es una chica muy, pero muy formal, como diría la Albertona. Tiene usted razón: lo cortés no quita a lo valiente», agregó, frotándose las manos.

Ya quería yo despedirme cuando se oyó primero, y en seguida irrumpió en la habitación, un tropel de niños que cruzaron de puerta a puerta sin reparar más en nosotros que en los muebles elegantes distribuidos alrededor, y desaparecieron en el pasillo, hacia la escalera espaciosa por donde yo había subido. Estábamos en el centro mismo, en la ciudadela, digámoslo así, del imperio alcohólico de Medrano e Hijos; un imperio que había ido creciendo, como los imperios crecen, por anexiones sucesivas de territorios y estados contiguos; tanto que, llegado un cierto instante, insistieron mucho los Hijos ante el jefe y fundador de la familia en lo buenísimo que sería separar la vivienda del negocio, construyendo una residencia digna en el elegante sector de Santa Leona donde la nueva aris-

tocracia se autorizaba con el contacto de la vieja clase lati-
fundista o, para decir la verdad, le ayudaba a sostenerse
prendida de un modo u otro a la falda de la colina. Pero el
venerable, testarudo como él solo, se había negado siempre. Por el contrario, hizo levantar en el centro mismo de
su emporio una especie de palacete de estilo colonial en-
riquecido con ciertos detalles exquisitos de arquitectura
gótica, tales como la ventana ojival desde donde veíamos
ahora derramarse por el patio a la patulea de chiquillos
cuyo paso había interrumpido nuestra conversación un
momento antes; y más lejos, en los alrededores, pero dentro del recinto, entre almacenes y destilerías, una serie de
pabellones donde se fueron instalando, conforme se ca-
saban, los hijos e hijas del patriarca. Esto explicaba la
abundancia infantil, y esto me explicó don Ano-Ano
cuando, al verlos pasar ante nosotros, le pregunté si todos
eran nietos suyos.

«Unos son nietos, y otros son amiguitos, hijos de la
gente que trabaja por acá. Como usted puede apreciar,
forman legión; y así está esto siempre –comentó con indignación fingida–; sucio todo, todo destrozado; pues,
imagínese, invadido a todas horas, por estos changos. Y
le diré: son tantos, que ya no sé ni cómo se llaman, ni de
cuál de mis hijos es hijo cada uno. Sin contar con que algunos negritos de ésos parecen también de la familia,
¡vaya usted a averiguar! Y lo peor de todo –agregó– no
es lo que rompen, sino el olor que van dejando por donde pasan. ¿No lo siente, amigo Ruiz? Mire: dicen, y es
muy cierto, que los viejos olemos mal. Muy cierto: por
más cuidado que ponga uno en bañarse y cambiarse de
ropa un par de veces al día, apenas suda un poco, ya está
oliendo a rancio. Pero el caso es que estos mocosos también tiene un olor agrio bastante fuertecito; y, para col-

mo, no les da la gana de bañarse sino cuando a ellos se
les antoja y les divierte. En realidad, no hacen sino aquello que les da la real gana. Son un rebaño de cabras: ya
usted los ha visto pasar por aquí, espesos y callados; y
ahí los tiene ahora, abajo, triscando entre los árboles
y arruinándome todo el césped.» «¿No será entonces
–bromeé yo– que el género humano apesta? Pero, aun
así, algunos ejemplares de nuestra especie… ¿Eh, don
Cipriano? No me diga que Serafinita, por ejemplo, no
debe de oler a rosas y a perfumes de *Las Mil y Una No-
ches*.»

Rió el venerable: «Este Ruiz es un pícaro; un pícaro».
Y yo le tendí la mano afectuosamente. Tuvo la deferencia
de acompañarme hasta la puerta, y mientras bajaba yo las
escaleras, me recomendó todavía que le dijera si de veras
nos gustaba ese jerez, para enviarnos otra caja.

Antes de hacer mi visita de obligada cortesía a don Ano-
Ano, nos habíamos estado interrogando Corina y yo,
como creo quedó consignado más arriba, sobre las razones que hubieran podido moverle a tan insólita, inesperada y, al parecer injustificada, aunque gratísima, generosidad, sin que ninguna de mis hipótesis dejara de mostrarse fútil, ni mereciera de Corina el esfuerzo mínimo de
refutarla: ellas solas se desvirtuaban y deshacían. De
modo que cuando me encaminé hacia los dominios del
sátrapa iba *in albis,* y más con propósitos de explorar que
de cumplir un social deber. Ahora, aclarado el graciosísi-
mo equívoco que me había valido tan linda caja de botellas, dudaba yo si debía aclarárselo también a mi mujer, o
sería mejor castigarla por su mortificante indiferencia
condenándola a ignorar lo que para ella sería sin duda un
chisme muy sabroso.

Opté, como es lo prudente, por una solución intermedia; contarle algo, insinuarle otro poco y, según lo tomara, ir soltando prenda hasta –¿porqué no?– llegar incluso a informarla de la totalidad del caso.

De acuerdo con este plan lancé, pues, anoche, dos o tres puntadas sobre mi visita al palacete, como para despertar su adormilada curiosidad, mientras procedía a desnudarme, me ponía el pijama, orinaba y me limpiaba los dientes (pues ella se había acostado ya, antes que yo); pero ¡qué curiosidad ni qué...! A Corina parece no interesarle nada, a la fecha de hoy. Apenas si me respondía; y cuando por último le anuncié, al tiempo que me echaba en la cama, la fausta nueva de que el venerable don Cipriano estaba dispuesto a repetir su obsequio si habíamos gustado del vino generoso, su comentario único fue un desabrido: «¡Ah, sí?», a la vez que se volvía hacia la pared, como siempre lo hace antes de dormirse. ¡Peor para ella!

También me dormí yo, y –según tantas veces ocurre– continué barajando en sueños el tema del día. Sueños felices: don Cipriano me había enviado, adornadas cual regalo de navidad (aunque quizás no estuviéramos en navidades –en el sueño, digo–; pero eso no importa) con guirnaldas de papel dorado y cintas de seda, tres enormes bandejas o canastas cargadas de botellas de champagne, de licores, de jamón en dulce, de frutas confitadas, de golosinas. Y me da risa al pensar cómo el sueño se ha encargado de compensar con sus gestos rumbosos las mezquindades de la realidad; porque si el obsequio de don Ano-Ano pudo parecerme generoso cuando no le hallaba causa, la verdad es que una docena de botellas de jerez (y todavía, tasadas al costo de importador) era bien corta dádiva para el favor del que, en su intención, debía testimoniar agradecimiento. El sueño vino, pues, a hacerme la debida justicia poética, y yo exultaba de gozo. ¡Qué contento estaba, Dios mío! Naturalmente, corrí –con mayor motivo que lo había hecho en la realidad– a presentarle mis rendidos respetos en su palacete alcohólico. Pero esta vez, yo era ya un amigo de la casa; no necesitaba hacerme anunciar. Por lo demás, todas las puertas estaban abiertas ante mí, empezando por la cancela exterior, y no tropecé con nadie en mi avance hacia el seno de la señorial mansión. Recorrí dentro de ella varias piezas, y llegué por último hasta la salita misma donde el patriarca me había recibido por vez primera, para encontrarme ahora... ¿Cómo podría describir yo la escena que sorprendí allí? Una escena de inconcebible depravación, a cargo de dos únicos actores: el venerable anciano y una de aquellas nietecillas suyas a quienes yo había visto pasar, en tropel, ante nosotros durante mi primera visita, y a la que entonces no presté particular atención; escena de esas que, en tiempos pretéritos, los escritores solían caracterizar y, a la vez, encubrir pudorosamente, con el velo de frases o vocablos latinos, y que los modernos se complacen, en cambio, describiendo con los más crudos y soeces de su propio idioma; pero que yo, enemigo de tales groserías, quisiera tener habilidad para apuntarla siquiera mediante el olvidado arte del circunloquio. Carente de ella, y puesto que, al igual que la mayoría de mis conciudadanos, ignoro los útiles secretos de la lengua latina, deberé renunciar a todo intento, y dejarle al eventual lector el cuidado de imaginarse lo más infame. Y dado que, por otra parte, escribo exclusivamente para mi propio recreo, tampoco necesito yo, lector secreto y único de mi propia obra, apelar a los servicios de la imaginación cuando me bastan los de la memoria. Aunque los sueños pronto se olvidan, jamás se me borrará de ella lo que vi entonces. Vi, y me quedé estupefacto. Pero el asqueroso viejo, lejos de inmutarse ante mi intempestiva presencia, desde el sillón donde estaba arrellanado me dirige un jovial saludo y me invita: «Pase, pase, amigo Ruiz; adelante: usted es también de la familia».

Al pronto, había intentado yo hacerme el desentendido, como si no me diera cuenta de lo que estaba ocurriendo; ofrecerles a ellos la oportunidad de componerse un poco, y disimular; aun cuando... no había disimulo posible. Ni lo procuraban ellos tampoco. Impávidos, seguían adelante con la mayor naturalidad del mundo. De repente, me escuché a mí mismo advertir en tono de consternación: «Pero, mi querido don Cipriano, por Dios, a su edad, eso no puede ser bueno. Y, perdóneme, hasta puede costarle la vida».

La niña, una rubita de siete u ocho años que, aplicada a su golosa tarea, me miraba de reojo con sus pupilas vivaces, como me había mirado al pasar desde el rebaño de chiquillos, casi revienta ahora de risa al oírme; mientras que, muy puesto en carácter, me replicaba el patriarca: «¡Qué no hará uno por los suyos, amigo Ruiz! Usted también, cuando tenga nietos...» (pero ¿cómo voy a tener nietos yo, si no tengo hijos? Un puro disparate, todo. Así son los sueños: un puro disparate. Sentí aún que el viejo me decía: «No gaste ceremonias conmigo, por favor: llámeme Ano-Ano».)

Disparate adelante, me veo en seguida en la terraza de la villa (ha desaparecido de la escena la nieta, sin saberse cómo), parado junto al venerable, que a mi lado parece mucho más alto de lo que realmente es, y que si antes me había hecho pensar en el cuadro de Abraham sacrificando a Issac, me recordaba ahora la estampa de Don Quijote. Muy solemne y un tanto melancólico, sentencioso, me habla don Cipriano Medrano. ¿Qué dice? Su voz es

lenta; sus frases, lapidarias. Hace pausas largas y frecuentes. De vez en cuando, me toma del brazo y me retiene, o
bien me obliga a continuar nuestros pequeños paseos
para detenerse en seguida otra vez, tirándome del brazo,
tan pronto en el extremo de la balaustrada, tan pronto
junto a la puerta de la sala, por la que yo deslizo miradas
furtivas para ver si todavía está allí la niña. Lo curioso es
que no consigo entender nada de lo que el caballero me
dice. Son, sí, palabras muy corrientes y archiconocidas,
frases bien redondeadas, aunque un tanto vacilantes;
pero no le entiendo, y esto me desazona. Molesto, y no sin
cierta desconfianza, me dejo arrastrar por él; no puedo
dejar de seguirlo. Y además, tengo curiosidad por saber a
dónde querrá ir a parar con todas esas incongruencias.

«¿Por qué las califica usted de incongruencias?», oigo
y –ahora sí– entiendo bien que me pregunta; y lo oigo con
sobresalto, porque yo no he dicho nada, no he abierto la
boca; me había limitado a pensarlo. Pero no importa; mi
turbación pasa pronto: se trataba de una pregunta retórica; no espera que le responda; ni siquiera parece irritado;
triste, muy triste es lo que está. «La triste realidad –sigue
diciendo (y ahora no tengo dificultad en entenderlo)– es
que ni usted, Ruiz, ni nadie, ¡lo que se dice nadie!, quiere
aceptar los hechos, ¿sabe?, *the facts of life*. Y un hecho es
que apenas lo elevan a uno al solio imperial, el hombre
más sensato se vuelve loco, y ya todo el mundo halla in-
congruente cuanto habla (sin perjuicio, claro está, de
–humildemente y con el debido respeto– besarle...)», y
don Ano-Ano, que no sufre mis inhibiciones ante la palabra malsonante, nombró sin empacho lo que, con el debido respeto, le besaba todo el mundo.

«Sí, señor –proseguía el venerable–; también yo, como
usted, he sido un jovenzuelo inexperto y lleno de altas

ambiciones –(eso dijo; pero el caso es que yo, ¡caramba!, no soy ya tan joven y algo tengo realizado ya en mi vida. Para estas momias, uno sigue siendo eternamente el mismo jovenzuelo inexperto)–. Ahora –continuó– usted me considera un viejo crapuloso por haberme negado a abdicar el trono, deponer el cetro y repartir mis reinos entre mis herederos.» (En realidad –digo, en la vida diaria y en nuestro ambiente local– la gente, que siempre encuentra motivo para criticar, criticaba al patriarca de la firma Medrano e Hijos por tener a éstos, como se decía, metidos en un puño, no dejarles autonomía ninguna y hasta obligarlos a vivir, como feudatarios, dentro del recinto, bajo el ala del palacete gótico-colonial, en unos pabellones que construía y les entregaba como regalo de bodas conforme iban casándose; e inclusive los yernos, no sólo los hijos, estaban sometidos al mismo régimen de estrecha dependencia. Pero, digo yo, sería porque a unos y otros les daba la gana de aguantarlo, ¿no? La gente quiere siempre arreglarle la vida al prójimo...) Prosigo con mi sueño; o con lo que, en sueños, me manifestaba don Cipriano; quien, con el brazo alargado y el dedo tieso: «Hágame el favor, amigo Ruiz –me indicaba–, tienda la vista sobre mi emporio –señalando, al pie de la balaustrada, y a lo lejos, las casas de parientes y súbditos, las oficinas, el parque, las destilerías, los almacenes y garajes–; vea –agregó, apuntando el dedo hacia los gigantescos anuncios luminosos–; *Coñac Tres Caballeros, Vermuth Ínsula de Capri, Ron Carabelas,* para no hablar sino de los productos más nobles de mi fábrica». Y, en efecto, frente a la terraza, distantes pero bien visibles, se alzaban en encendidos trazos azules y rojos la enorme botella del vermut, las carabelas famosas surcando, una tras otra, el ignoto piélago para descurir nuestras costas americanas, y los caballeros de Malta, en número de tres también ellos, levantando alegremente sus copas de coñac. De pronto, observé algo que me hizo gracia. «¿De qué se ríe la juventud inexperta?», me preguntó, suspicaz, el anciano. Me reía, y se lo expliqué, de que quienes hicieron el anuncio eléctrico para el vermut *Ínsula de Capri* habían puesto *Cipri*. «Pero hijo mío, no hay equivocación ninguna –me aseguró muy serio el dueño; a pesar de que yo estaba harto de saber, como lo sabe cada quisque, que la marca es *Ínsula de Capri* (un plagio desvergonzado, por lo demás, de la conocida marca italiana)– ¿Qué equivocación? ¡Está bien! –continuó–. Es así: *Ínsula de Cipri;* y me extraña mucho, Ruiz, que salga usted ahora con esa patochada.» ¿A qué discutir tonterías? Su verbosidad era incontenible, desbordante y, en verdad, un poco demencial. «Creerá usted quizás que no me ha costado esfuerzos levantar mi emporio. Medró Medrano, el venerable anciano, pues no en vano don Cipriano, como Alonso Quijano, tiene nombre de emperador romano; o griego, que es lo mismo.» (¡Qué idiotez! ¡Si él es un emperador romano, yo soy entonces el rey de los judíos!) «Mas, no bien conquistados sus dominios –seguía diciendo– y consagrado jerarca supremo, ya un seguro servidor de usted se había convertido a los ojos del vulgo ignaro en el loco Ano-Ano. Un loco divertido y simpático para sus amigos, a quienes les agrada recibir cajas de vino generoso –y aquí, me echó una mirada rápida, chispeando de malicia–: un loco siniestro para los elementos subversivos, quienes lo acusan de haber amasado una fortuna con el sudor y la degeneración del pueblo, porque el pueblo infeliz suda y suda (pues ¿no va a sudar, si estamos en pleno trópico?), y como suda, se emborracha, porque el sudor da sed, y la sed pide ron, y el ron trae la felicidad; y para los subversivos, felicidad y degeneración son sinónimos.»

Apenas podía seguir yo lo que, por mucho que a él le molestara, eran incongruencias: y no sabía cómo desprenderme de los lazos de su garrulería y despedirme, cuando me di cuenta de que había empezado a prevenirme insidiosamente contra el amigo Doménech, cuyas artes, o malas artes –afirmaba–, en contraste con el laborioso tesón de los industriales y comerciantes honrados, le permitían levantar y abatir capitales con un golpe de su varita mágica; sin trabajo, pero también sin solidez alguna, si se compara con la situación, por ejemplo, de la firma Medrano e Hijos, no obstante hallarse fundada esta fortuna, como la del Mercader de Venecia, sobre un líquido elemento no menos proceloso que los océanos. «Usted, mucho llamarle Amigo Doménech; pero créame, Ruiz, y no se fíe del Mago de las Finanzas, que ya hizo su aprendizaje y escarmentó bien en tiempos de Bocanegra, y ahora no hay quien le meta el dedo en la suya, lisonjera y sonriente, pero falsa como el alma de Judas. Y más no digo.»

No dijo más, aunque yo, inquieto, incómodo, le objeté por tirarle de la lengua: «En cuestiones económicas yo no entro a juzgar, mi querido don Menguano». (Con un curioso *lapsus linguae* le llamé «don Menguano», no Mengano, sino que sustituyendo Cipriano por Mengano, hice un híbrido de éste y Medrano, y le llamé Menguano; me acuerdo perfectamente.) Y proseguí: «Hoy en día, lamentablemente, los negocios son así; hay menos escrúpulos; no lo aplaudo, pero así es. En cambio, no pretenderá usted negarme, señor mío, que en su vida privada el amigo Doménech es una persona decente, lo que se dice una bella persona; un padre de familia». «Y un buenísimo marido, ¿verdad? –retrucó el vejete con sarcástica viveza–. Tiempos hubo en que se apreciaba y se elogiaba y se ponía por encima de los cuernos de la luna a los maridos puntillosos, capaces de matar a su esposa con el menor pretexto. También me argüirá usted que, en esto como en las cuestiones económicas, la moral ha cambiado mucho. Hoy parece admirarse más bien al marido capaz de aguantarlo todo, de sufrirlo todo. Su Doménech aguanta que la consorte le llame ladrón. Lo que todo el mundo dice de él a sus espaldas, se lo dice en la cara la Puritana. Y ¿por qué lo aguanta él como un manso cordero? Lo aguanta, porque sabe que es rigurosamente cierto, y que alguien debía cantarle las verdades... Sin embargo, en mi humilde opinión, fíjese bien lo que le digo, querido Ruiz, en mi humilde opinión eso es muchísimo más grave, mucho más insufrible, que si, digamos, el gallego Rodríguez le pusiera los cuernos; pues, con los cuernos, usted puede enterarse, o no enterarse y hacerse el distraído, según prefiera; pero ¿cómo es posible no darse por enterado de un insulto lanzado así a la cara?»

La verdad, pocas veces había oído yo, ni en sueños, tantos disparates seguidos. ¿Qué demonios tenía que ver aquí el gallego Rodríguez, ni por qué había de ponerle los cuernos a Doménech? Y lo curioso es que todas esas absurdideces, dentro de la atmósfera del sueño, parecen ligadas por la más rigurosa lógica. Aunque, de otro lado, tampoco faltan en su trabazón rotos, fisuras, rendijas, saltos y sobresaltos, comparables a los cortes de una película. Tras uno de estos lapsos (que sólo lo son quizás de la memoria; no sé), descubro ahora de improviso, agazapada bajo el sillón (pues otra vez el venerable y yo nos encontrábamos dentro de la sala, parados junto a la mesa de mármol, en el centro), descubro, decía, asomando la carucha por entre las doradas patas y los flecos de seda celeste del mueble, a la rubita de la escena depravada, que nos mira con su risa de pícara inocencia. ¿Desde cuándo estaría escondida ahí, bajo esa butaca? Naturalmente, su descubrimiento me distrajo de la charla que, siempre caudalosa, había vuelto a hacerse ininteligible en los labios del obstinado don Ano-Ano; el cual, advirtiendo mi descuido, me siguió la mirada, y tan pronto como se dio cuenta él también de que su nietecilla estaba allí, fingió severidad en el tono para interpelarla: «Por Dios, ¿otra vez tú? ¿Qué haces ahí metida?» «Te esperaba, abuelito. ¿Sabes? Sí, otra vez quiero.»

Me pareció que al oír esto pasaba por las facciones del venerable una sombra de terror, de santa indignación. Quiso cerrar el paso a la travesura: «¡De ninguna manera! –se apresuró a contestarle–. ¿Qué se ha creído usted, mocosa? Inmediatamente, salga de ahí». Pero, lejos de obedecerlo, su nietecilla comenzó a alborotar, a palmotear: «Sí, sí, otra vez quiero. Quiero y quiero. Sólo una vez más». «Basta, niñita. He dicho que no, y es que no...» Ella, entonces, se puso suplicante, mimosa: «Anda, abuelito, sé bueno. Una vez más: sólo una: unita. Anda, sí, sí, sí. Quiero, quiero». «Pero, criaturita –empezó a ceder, consternado, el patriarca–, lo que quieres tú es matar a tu pobre abuelo.» «No importa, abuelito. Si ya eres muy viejo, ¿qué importa? Quiero, quiero.»

El venerable me dirigió una mirada que reclamaba comprensión, indulgencia. Y en seguida, volviéndose a su nieta con dulcificada severidad, le ordenó: «Aguarda, déjame atender a este caballero, que se está despidiendo». Lo cierto es que yo, desde hacía rato, deseaba irme, pero no había podido insinuar una sola palabra de despedida. Con su cháchara interminable, el viejo no me había dado ocasión. Ahora, me ponía en la puerta; mejor. Pero lo que me enfurecía a mí es que ya nadie sabe educar a los niños, y que aun personas tan respetables y autorizadas como el viejo Medrano ceden sin la menor resistencia a los caprichos de estos pequeños tiranos domésticos. Es una debilidad que da vergüenza. Salí malhumorado, y agradeciéndole a Dios no tener nietos yo mismo, ni por supuesto perspectiva de ello, puesto que tampoco tengo hijos.

5. La gestión oficiosa

No soy hombre que crea en sueños, y todas aquellas historias de José –el otro José, el casto, con sus vacas gordas y sus vacas flacas– me parecen sólo eso: historias. Uno se acuesta cansado, excitado, quizás ha cenado uno en exceso, y las impresiones del día, flotando como objetos sólidos en la turbia corriente, componen figuras a las cuales no conviene atribuir alcance alguno, porque no lo tienen. Fácil resulta en todo caso explicarse que mi fantasía, desorbitada y sin el freno de la vigilia, me presentara al señor Medrano en aquella increíble escena con la niñita: acababa yo de advertir que –ingenuidad o, si se quiere, tontería de mi parte– su astucia de viejo salaz me había hecho, digámoslo así, instrumento de sus deseos para sacar reina de la belleza a la tal Finita López, por quien, como sólo demasiado tarde pude darme cuenta, se le caía la baba. Y aunque uno comprenda y sepa disculpar las debilidades humanas, e incluso se alegre a veces de hallarlas en el prójimo, no por eso deja de ser repugnante la afición de personaje tan vetusto hacia una criatura que, poetisa y todo, podría ser nieta suya. Sin duda era esto lo que mi sentido moral le había afeado en sueños, elaborando una versión crudamente infame, y de todo punto imperdonable, de su conducta. Y también tendía a calificarla indirectamente, sin duda alguna, todo aquel lío tan confuso y disparatado de la demencia de los emperadores romanos.

Lo que no he logrado descifrar es eso de que el viejo don Ano-Ano se creyera en el caso de prevenirme contra Doménech. ¿Qué podía significar esto? ¿A qué viene? Aun cuando no creo en sueños, sus palabras sibilinas se me quedaron dando vueltas en la cabeza, quizás por estar yo preocupado con la gestión que de manera tan gentil se me había ofrecido el amigo Doménech a llevar a cabo y cuyos resultados, como es lógico, me tenían un tanto impaciente. Pues la verdad es que habían pasado ya varios días sin noticia alguna, ni siquiera la más leve indicación. Y como, durante ellos, esa chinita taimada de Candy seguía como si tal cosa, cada mañana y cada tarde, tan seria siempre en su mesa de trabajo, siempre atareada, siempre displicente, siempre muda, se me ocurrió que, a lo mejor, el amigo Doménech se había olvidado de todo; y no me hubiera pesado, sinceramente, que tal fuera el caso. Sólo me disuadía de esta casi esperanza el gran cuidado que ponía Candy en rehuir mi vista, y tanto más, cuanto más deliberadamente la observaba yo. Era evidente que hacía un gran estudio para esquivar toda ocasión de encontrarse conmigo; y aunque esto me irritaba, como irritan siempre las provocaciones, me obligué a abstenerme de cualquier sondeo. No hubiera sido bueno forzar las cosas, ni prudente decirle a ella una sola palabra antes de saber lo que Doménech había hecho, o no hecho, si es que, en definitiva, hacía algo.

Con santa paciencia estaba, pues, resuelto a aguardar hasta que buenamente me dijera algo este amigo, o acaso procurar un encuentro de apariencia fortuita con él: al tenerme delante no dejaría de hacer alguna referencia, aunque más no fuera para disculparse de su olvido, o de no haber podido hasta el momento, etcétera. En cuyo caso, me apresuraría yo a exonerarlo del compromiso, y asunto concluido. Pero que no me obligara con su silencio a romper el mío y delatar ansiedad.

Por fin, el encuentro casual se produjo hace unos tres o cuatro días a la puerta del Casino: entraba yo, y él salía; pero, por lo que pudo verse, con demasiada prisa. «Tenemos que conversar», me dijo, y subió a su automóvil, dejándome cualquier eventual respuesta en los labios. De modo que no supe, aunque supuse, y ahora estoy cierto de ello, si aludía o no su frase a la gestión nada seria ni grave que durante la ceremonia de INCOLO me había prometido realizar.

Ya estaba urdiendo yo un pretexto cualquiera relacionado con el Banco, para ir a visitarle en su oficina, cuando esta mañana –caso insólito– el magnate se ha dignado pisar él mi humilde establecimiento. Hemos hablado, y ya sé lo que hay. Me informó de que ayer no más había sostenido larga conferencia con la interesada (es decir, con doña Candy, quien, no por casualidad, ahora lo veo, faltó a la oficina durante todo el día, y ha seguido faltando hoy, de mañana y tarde); en el curso de cuya conversación, y después de las necesarias escaramuzas, le había hecho consideraciones muy francas acerca del dislate que significaba aquello (pues aquello, mi querido amigo, era muy cierto; yo tenía razón en mis sospechas: los insensatos jóvenes estaban dispuestísimos a dar un escándalo que obligara a transigir con el anhelado connubio). En suma, que Doménech, según me lo ponderó, había sabido echar en la balanza no sólo su autoridad sino también su poder persuasivo, hasta conseguir convencerla de que soltara prenda. Sonreía, satisfecho: «Mire, querido Ruiz –me aseguró–, ha sido un derroche de diplomacia el que he tenido que hacer. Más saliva he gastado y más me he estrujado el cerebro que para combinar un empréstito de millones. Por serle útil a usted, y ya que así se lo había ofrecido; pero ha sido, se lo prometo, toda una tarea. Primero, tantear el terreno, explorar la situación, hasta darme cuenta cabal de dónde estábamos (y ya le he dicho que estábamos bien adelantaditos en nuestros lindos planes); luego, tras algunas fintas, acometer por la parte más débil... ¿Que cuál era la parte más débil? Pues vea, toqué el resorte de los grandes sentimientos, que rara vez falla en la gente joven: apelé al amor, a la abnegación, ¡pura poesía! Puse de relieve el daño incalculable que todo el asunto podía ocasionarle, tenía que ocasionarle sin duda alguna, al joven estudiante cuyo porvenir quedaría truncado, cuyas perspectivas, cegadas, cuya vida, rota, si por una obcecación de ambos incurrían en semejante locura. La mejor prueba de amor que podía darle ella, si (como pretendía) era cierto que lo adoraba tanto, consistiría en hacerle ofrenda de su sacrificio; y esto, de manera que no pudiese percatarse de su abnegación, sino sentirse por el contrario despechado y propenso al desengaño. Dura prueba; pero digna de ella. Y, a la larga, solución beneficiosa para los dos; pues no sólo evitaría el desastre social de un estudiante cuya carrera se interrumpe, cuyas posibilidades se malogran, cuyo bienestar se tira por la ventana, sino también la muy previsible liquidación de un idilio cuyas dulzuras primeras se convertirían en leche agria tan pronto como, pasado el entusiasmo, que pronto se disipa, las rutinas de la vida diaria, agravadas por un ambiente de dificultades, acumularan encanos y rencores sobre su cabeza, sobre el objeto amado por quien todo se echó a perder, por quien el brillante joven renunció a sus mejores bazas, sin haber obtenido en compensación ni siquiera aquellas primicias virginales a que –¡caramba!– tiene derecho todo sujeto que entrega en cambio el tesoro inapreciable de su libertad viril para someterse, mansueto, al yugo doméstico. Ahí golpeé, en este punto le di una y otra vez, porque ahí le dolía, y no otra era su llaga. En fin, le pinté el panorama con colores vivos, poniendo todas las cosas en su punto y tal como en realidad son, para que dejara de acariciar esas estúpidas ilusiones de felicidad conyugal que la juventud se complace en forjarse. Hasta que, por fin, pude cantar victoria: le arranqué el dulce sí; esto es, la promesa formal y firme de que liquidaría al Junior Rodríguez, para que nadie tuviera que llamarla trepadora, ni a él quién sabe qué calificativo... Sólo que –añadió Doménech–, mi estimado amigo, bajo una condición que a lo mejor, queridísimo Ruiz, no le parece a usted después de todo tan mala, dado que, al cabo de los años, me figuro yo, será para usted ya más bien una carga que otra cosa todo este asunto». «Y ¿cuál es esa condición, si puede saberse?», me apresuré a inquirir yo, no sin alguna alarma, lo confieso.

«Pues la condición es... Bueno, me dijo ella que... Usted no ignora, claro, cómo son estas chinitas... Me dijo, tranquilamente, que ya no podía soportarlo más a usted, y que si despachaba a su Luisito de su alma y tenía que seguir viéndole a usted la jeta a diario (perdone, eso dijo), que era capaz de morirse de la pena. Eso fue lo que me dijo, tal cual. Por lo tanto, la condición era que yo había de procurarle un empleo, y en seguida; pues no quería volver a pisar las oficinas de la Casa Ruiz. Yo le reprendí, imagínese: "Estás muy equivocada respecto de Ruiz. Ruiz es una excelente persona y te quiere mucho más de lo que tú piensas. Puedo hablarle, y me comprometo..." Pero no me dejó terminar: se puso terca; y porque no se volviera atrás y fuera a perderse todavía el triunfo conseguido, me tomé la libertad de acceder a su condición, prometiéndole un buen empleo. Así es que, contando con su aprobación –y Doménech me puso la mano sobre el brazo–, pienso colocarla, no en mis oficinas particulares, sino en el Banco Nacional donde tendrá la categoría de empleada pública, y un porvenir más sólido y, sobre todo, más independiente del que le aguardaría como esposa del mequetrefe de Luisito.»

«Pero, señor Doménech –dije yo, un poco desolado–, esa solución, al fin y al cabo, a quien únicamente favorece es al Junior, o mejor, a los papás, que no querrían ver casado a su gordinflón con semejante... ¿Quién más sale ganando ahí, si me hace el favor, como no sea el Banco Nacional?»

«¿Quién sale perdiendo? –me respondió Doménech–. No usted, por cierto, que se libra así de un auténtico rompecabezas. Ni ella (y, dicho sea de paso, no le guarde rencor, Ruiz; tenga en cuenta la tempestad emocional, aunque sea en un vaso de agua, por la que le hemos hecho atravesar), ni la Candy tampoco sale perdiendo nada, pues va a encontrarse por delante una carrera bancaria, en lugar de las penosas consecuencias de boda tan absurda (porque cuanto yo le dije era cierto; sin lo cual, comprenderá, no se lo hubiera dicho: *Bajo las flores de su ilusión, muchas espinas se ocultaban,* como reza el conocido poema del negro Zapata). En cuanto al alocado jovenzuelo, para qué hablar. De momento, se subirá por las paredes; pero recapacitará luego; y a la larga es claro que ha de acabar haciendo la boda brillante que le corresponde. ¿O no es cierto?»

«Sí, no digo que no –tuve que conceder–, pero...» «Nada, amigo Ruiz; ya veo que también a usted le cuesta esto su pequeño sacrificio. Pero es mucho mejor así, créame. Desde luego, yo lo he hecho por servirle, y creo que la operación no ha salido mal del todo.»

En suma: tuve que darle encima las gracias.

Será la fuerza de la costumbre; pero pasan los días, y ni me resigno a ver desocupado el puesto de Candy, ni me resuelvo tampoco a sustituirla. Su mesa, sus papeles, la máquina, todo está ahí cual ella lo dejó, como si hubiera de volver mañana. Y cada vez que dirijo allí la mirada..., ridículo le parecería a cualquiera; ridículo me lo parece a mí mismo; pero el caso es que se me hace un nudo en la garganta, y sólo ahora caigo en la cuenta de que si tanto disgusto me producían sus frecuentes faltas a la oficina, no era en el fondo por causa del mal ejemplo, o por el trabajo que se quedaba sin hacer, sino porque necesitaba verla ahí sentada cada vez que desde mi despacho se me ocurría levantar la vista.

Quizás nadie me creería si dijera lo que, no obstante, es demasiado cierto: que por verla ahí de nuevo –y digo verla; no más que verla, ¿se entiende?– renunciaría para siempre a tocarla. (Se ve, pero no se toca.) Si es eso lo que tanto le molesta, acaso porque la muy necia cree que eso es, en cambio, lo único que de ella me interesa a mí, yo la sacaría de su error y le demostraría lo equivocada que está, colgando como un exvoto en su altar la llave de nuestro cuartito secreto. ¿Por qué ha de pensar tan mal de mí siempre? ¿Por qué ha llegado a detestarme de ese modo? Pues no hacía falta que ella se lo declarara tan indelicadamente a Doménech: ya lo sabía yo demasiado bien que, sobre todo desde que el Junior Rodríguez empezó a injerirse entre nosotros, mi Candy no podía aguantarme ya. Con lo cual confirmaba, de paso, la verdad del apotegma latino que declara: *la donna è mobile;* pues me lisonjeo pensando que, al comienzo de toda nuestra historia, fue ella, precisamente ella, quien..., y no digo más: sin sus miradas de cordero degollado, sin sus sonrojos y sus cómicos parpadeos, jamás me hubiera fijado yo en su insignificancia ni se me hubiera ocurrido nunca la malhadada idea de llevarla conmigo de acólito en mi viaje a Ultratumba. Pero, bueno..., así es la vida.

Aun así, que no sueñe siquiera con que voy a rogarle. A tanto, mi hijita, no me rebajaré; sería ya lo último. Verdad es que tampoco voy a poder cumplir el programa de altivez herida que me tenía trazado para el momento en que compareciera –como no dudaba yo que había de comparecer– en busca de la liquidación de sus haberes y para cubrir un poco las apariencias del decoro despidiéndose de su jefe y compañeros de oficina. No podré cumplirlo, ese bonito programa, porque han pasado ya demasiados días sin que la señorita se digne hacer acto de presencia; de modo que ya doy por cierto lo que nunca hubiera creído: que renuncia a cobrar ese puñado de pesos con tal de no verme más la jeta, como tuvo el pésimo gusto de decirle a Doménech, y de poder calumniarme, todavía, divulgando que yo he dejado de pagarle lo que ganó en mi Casa con el sudor de su frente.

Por supuesto, no pienso permitirle que se dé ese lujo, ni facilitarle la satisfacción moral de contribuir a la leyenda de miserable que entre todos se empeñan en forjarme. Muy al contrario: esperaré todavía unos cuantos días más, no muchos, para ver si aún se decide siquiera a enviarme algún recado pidiendo el dinero (en cuyo caso, claro está, responderé que debe presentarse a recogerlo

ella en persona), y si, como temo, no hay señales de vida
pasado un plazo prudencial, yo mismo voy a ir a buscarla
y le entregaré, para darle una lección de conducta, no
sólo la parte de mensualidad que tiene devengada, sino
los meses de indemnización por despido a que no tiene
derecho alguno, puesto que ha abandonado el empleo
por su propia iniciativa, y sin comunicarme siquiera el
previo aviso. Puede ser que este acto mío de desprendimiento le diga algo.

Eso, tal cual, fue lo que, en efecto, tuve que hacer. Y, entre
paréntesis, estos cuadernos, si acaso alguien hubiera de
leerlos, resultarían un mamotreto monstruoso, informe.
A veces, escribo horas seguidas en ellos; y a veces se me
pasan días, cuando no meses, sin agregar una línea; hasta
que de pronto me vuelve la urgencia de desahogarme, y
entonces leo el último párrafo, si acaso, o un par de ellos,
para ponerme a tono y, enlazando ahí de cualquier manera, continúo tan campante, sin preocuparme demasiado
de que venga a cuento o no lo que escribo con todo lo anterior. Esto que ahora voy a escribir, sí que viene a cuento,
me parece; pues resulta ser consecuencia directa de lo
apuntado hace unos cuantos días. Durante los cuales no
había pasado nada, sino ellos mismos, los días, uno tras
otro, a lo largo de una semana entera. De modo que cuando vi llegar el lunes sin noticia alguna de mi ex, decidí no
aguardar ya más ni otorgarme nueva moratoria, sino
irme en busca suya, fuera lo que Dios quisiere.

    «¿Usted?», es lo único que me dijo, una exclamación,
cuando levantó los ojos de su mesa y encontró que era yo
quien estaba parado a su lado; pues yo había preferido
personarme de improviso en su nueva oficina para sor-
prenderla. Al pronto, me trató de usted, como lo hacía

siempre, es lógico, delante de otros; pero cuando nos apartamos a conversar en un rincón, fuera de la gran sala de trabajo, siguió tratándome de usted obstinadamente, y aun se negaba a levantar los ojuchos que tanto susto habían mostrado al verme. Comprendo su turbación en aquellos momentos. Si yo mismo, que –entre otras cosas– contaba a mi favor con la ventaja de la iniciativa, me sentía saltar el corazón dentro del pecho, ¿cómo no estaría ella?

«Vengo –le anuncié– a traerte el cheque de tus sueldos.» Y echando mano a la cartera, extraje con cuidado el papelito, lo desplegué, y se lo di, abierto, para espiar su reacción a la generosidad inmerecida con la que le liquidaba yo las cuentas. Pero su mirada no descendió a posarse en él, sino que, doblándolo y –puesto que allí no tenía dónde guardárselo– dándole vueltas y más vueltas entre sus manos, me replicó, displicente: «No tenía que molestarse; me lo hubiera mandado mejor por correo». Seguramente no le pasaba por la imaginación que pudiera yo abonarle un centavo más de lo que tenía estricto derecho a percibir. Eso hubiera sido lo natural, lo previsible; y yo no sabía cómo llamarle la atención en forma que pareciera casual sobre la cifra escrita en el cheque; pues si no, la cosa podía resultar hasta contraproducente. Entre tanto, contesté a su desabrida respuesta (y creo que mis palabras tuvieron un acento desolado que a mí mismo me resultó embarazoso), preguntándole: «¿Tanto te fastidia el verme?»

Se encogió de hombros, y procuró dar a su cara achinada una expresión fija, de total indiferencia; pero ¿de qué le valía ese esfuerzo si sus manos delataban, con la inquietud de sus dedos, la que sin duda le agitaba el ánimo? Pues no cesaba de darle vueltas entre ellos al valioso papelito, lo torturaba con sus dobleces y contradobleces, que hacía, que deshacía, que tornaba a hacer, cada vez más menudos, mientras que yo la observaba en silencio.

Pero no era cosa de quedarse así callados hasta el fin de los siglos. Al cabo de un rato insistí: «¿Es que no tienes nada que decirme?» Ella movió la cabeza de un lado a otro. «Pues cuéntame al menos si estás contenta en tu nuevo empleo, si te gusta, qué es lo que haces.»

Su boca siguió muda; pero también sus dedos continuaron martirizando a mi pobre cheque, y poniéndome con ello cada vez más nervioso. Puesto que no quería hablar, hablé yo. Y al hacerlo, quizás me rebajé más de lo justo. Había contado con actuar desde el pedestal de prestigio en que mi extraordinaria generosidad me auparía. Desde su altura, mis reproches tendrían una contención digna, una reservada nobleza que quizás alcanzara a tocarle el corazón, pues no en vano, durante años... Pero resulta que, en lugar de mirar su cheque, se dedica la imbécil a juguetear con él, arrugándolo; y mientras tanto, a mí no se me viene a las mientes una manera aceptable de hacerle notar su importancia. Empiezo, pues, a hacerle reproches; y esos reproches, que me salen muy del fondo –pues no negaré que necesito de ella y que me duele su abandono–, toman en seguida un tono lacrimoso, ante el que ella no reacciona sino con una mueca de desdén en sus labios, que me hace despreciarme a mí mismo por el exceso de mi debilidad. «Di algo, siquiera; insúltame», le imploro, la conmino. Y lo que ella dice es: «Tengo que volverme a trabajar, adiós»; y al decirlo, al ir a ponerse en movimiento hacia su mesa, veo con estupefacción que, hecho una bolita de papel, lanza mi cheque al cenicero del rincón.

Debí de quedarme pálido de ira. La tomé de la muñeca y, sin pensar que, a la distancia, estarían mirando la escena, le digo: «De modo que para ti el dinero ya no vale nada. Yo me molesto en traerte el cheque...» «¡Ay!», gritó ella, dándose cuenta de lo que había hecho; y fue a rescatar, de prisa y con alarma, el pobre papelito de entre colillas de cigarro en la arena del cenicero, y a desplegarlo con muchísimo cuidado, planchando entre el puño y la palma de la otra mano sus arrugas y dobleces.

Reconozco que me confortó el comprobar que todo había sido un descuido, resultado de la nerviosidad, y no una insolencia; y en seguida formé el propósito de romper ese cheque y extenderle allí mismo otro equivalente, lo cual me brindaría además la oportunidad para hacerle notar sin alarde su cuantía; y esto sería quizás un primer paso hacia nuestra reconciliación. Pero al mismo tiempo estaba ya tan embalado en el movimiento de la cólera, que postergué ese propósito hasta haberme descargado con un par de sarcasmos: «Pensé, hijita, que no te importaba cantidad tan modesta como la que yo pueda darte. Ahora perteneces al mundo de la alta finanza... Supongo que con Doménech no te mostrarás tan arisca, porque cuando te conviene, nenucha, tú sabes ser bien cariñosita para con tus jefes». Así se lo solté, y una vez dicho ya no había quien pudiera recogerlo. Parpadeó, atónita. Y en seguida, con una voz muy baja, casi ronca, sin matices, me ordenó, inapelable: «Vete de aquí inmediatamente».

Antes de oírlo, ya había comprendido yo que había metido la pata, y que todo estaba estropeado, quizás para siempre. ¿Por qué la tierra no me tragaba? Agaché la cabeza, y me retiré sin ver los escalones bajo mis pies.

Cuando uno se va del seguro y se le dispara una tontería (que, a lo mejor, no es tan una tontería, pero que resulta tonto haberla largado), cuando uno hace lo contrario de

aquello que se había propuesto y el impremeditado tiro le
sale por la culata, lo más discreto sería abandonar el empeño y no hacer nada más; aguantarse; pues de otro
modo, como la vida no tiene marcha atrás, nuevas tonterías vienen a agregarse pronto a la primera, y, por querer
subsanarla, la agrava y empeora uno todavía. Desahucia-
do de mi Candy, pero menos resignado que nunca a la
perspectiva de perderla, ¿qué de vueltas no le habré dado
al asunto, en busca de un atajo, ya que mi torpeza había
malogrado la vía directa emprendida yéndome a verla?
Yo, que al planear esa entrevista, tenía calculado mostrar-
me, por grados sucesivos, altivo, digno, magnánimo, do-
lido, quejoso, tierno, humilde, suplicante acaso, hasta
ablandarle el corazón y revivir en él siquiera un eco de los
sentimientos que, a su manera admirativa y pueril de entonces, es evidente que tuvo hacia mí, yo mismo lo eché a
perder todo en un momento, y lo único que había conseguido era ofenderla más. ¿Para qué, pues, empecinarse?
Desistir hubiera sido lo sensato. En lugar de ello, me puse
a barajar las más absurdas posibilidades de acción: man-
darle un anónimo, sin saber a punto fijo para qué; apelar
en favor mío –¡qué disparate!, ¿cómo?– a la paterna autoridad del Bigotudo; buscar a ese canalla de Doménech y
exigirle... (mas ¿sobre qué base?: diría que si me había
vuelto loco); cancelar el cheque, para obligarla a recla-
marme –cosa que ella no haría; lo más probable es que no
lo hiciera; en cuyo caso, por lo menos, no podría reírse de
mi inútil desprendimiento, al que de cualquier manera
daría siempre una interpretación torcida... Y habiendo
descartado de antemano la única alternativa razonable: la
de resignarme sencillamente a mi suerte, y considerar de
ahí en adelante a mi Candy como cosa –o mujer– perdida, opté por la peor de todas, por la más idiota, a saber:

valerme de Luisito, ponerlo con maña en antecedentes, y esperar que él, con la fogosidad de sus pocos años y su también escaso cacumen, se encargara de descomponerle el pasadoble a Doménech...

Eso fue lo que resolví, después de interminables cavilaciones. «¿Te ha pasado algo?», me interrogó Corina al verme llegar a casa, mustio, la tarde de mi desdichada entrevista con la otra. «Nada me ha pasado. Es que me duele la cabeza. Voy a tomarme un café y una aspirina, y me quedaré un poco ahí al fresco, en lo oscuro», le respondí para que no me incordiara. Como se comprenderá, no tenía yo ganas de ver a nadie ni de hablar con nadie; y menos aún, con ella. Hasta sospecho que, en realidad, había empezado a incubarse ya la infección gripal que se me declararía con fiebre alta pocos días más tarde, y cuyos efectos me duran a la fecha. En aquel momento me sentía deprimido, apabullado más bien, y lo atribuía por entero al mal paso que acababa de dar en la cuestión Candy; sólo apetecía estar solo, para ponerme a buscar una salida cualquiera, como animal aterrorizado. Y, como un animal, vine a empeñarme en la más peligrosa de todas.

Así, cuando al otro día, después de mal dormir y estarme despertando a cada rato durante toda la noche, le mandé recado a Luisito con un muchacho del almacén para que se pusiera al habla conmigo cuanto antes, no sabía aún cuál sería el mejor modo y manera de acometer el espinoso tema y fiaba en la espontaneidad del instante, ya que tan mal resultado solían darme los planes meditados y elaborados minuciosamente. Las mismas reacciones del Junior –¡infeliz Junior!– me irían orientando quizás hacia el acierto de que tan necesitado estaba después del pasado traspiés. Lo que hacía falta era alterar de algún modo la situación, sea como fuere, sacarla a ella de ese

mutismo en que se había encastillado, y luego... Dios diría. Si la presión del Junior la hacía saltar del Banco,
arrancándola así a las garras de su corruptor (con tales
palabras pensaba yo aludir a Doménech), entonces podría conseguir yo, bajo promesa solemne de no interferir
en el inocente idilio (antes al contrario, patrocinarlo),
que ella volviera a ocupar su antiguo puesto en mis oficinas (clausurado el cuartito, ya digo, quizás para siempre
jamás, amén); pues, si no había otro remedio, estaba dispuesto a conformarme con saber que ellos labraban su
conyugal felicidad mientras Doménech, al tiempo que
veía frustrársele la indecente jugarreta, ignoraba mi intervención y no tenía motivos para tomar represalias financieras contra la Casa Ruiz, ni siquiera para mostrarse
resentido con el propietario de la firma.

¡Cuentas galanas! Luisito no vino a verme, el pobre, ni
probablemente llegó siquiera a recibir mi recado. Se in-
terpuso la tragedia; y yo, que ya venía sintiéndome mal,
más por efecto de los disgustos, sospecho, que por la gri-
pe misma, cuando Corina –sacudida de su apatía por la
noticia– volvió de visitar a los Rodríguez en un estado de
excitación imposible; yo, que no podía ya con mi alma, y
que hubiera debido hacerlo mucho antes, me puse el ter-
mómetro y me metí por fin en la cama.

Segunda parte

El caso del Junior R., a través de algunos recortes del diario capitalino «El Comercio»

1.

«En su número de ayer, nuestro colega *El Tiempo* adelantaba una información, por lo demás bastante imprecisa y en parte errónea, acerca de un suceso doloroso que nosotros, en cambio, por consideraciones especiales, nos creímos obligados a reservar, a la espera de más exactos detalles.

»Tanto en atención a la identidad de la víctima, que lo es el hijo primogénito de nuestro querido compañero de redacción don Luis R. Rodríguez, como por razón de la oscuridad que rodea al hecho, y por otras circunstancias que no parece discreto revelar todavía, juzgábamos en efecto preferible, a la hora de cerrar nuestra última edición, limitarnos como lo hicimos a la noticia escueta del fallecimiento –en circunstancias particularmente aflictivas, indicábamos– del joven Luis Rodríguez Imbert, expresando al mismo tiempo nuestras más sinceras condolencias a su consternada familia.

»Pero como ciertas particularidades del luctuoso hecho han transcendido de inmediato, y no sólo –justo es señalarlo– por la precipitación del aludido colega, sino también por la impaciencia sensacionalista de radios y televisión, impresionando vivamente a la imaginación popular, *El Comercio*, dispuesto como siempre a servir con el mayor celo los intereses públicos, dedicará desde este momento su más amplia y meticulosa atención a un caso que es por lo pronto delicado, y cuyas implicaciones pudieran convertirlo en piedra de escándalo.

»Sin más preámbulos, pasamos a relatar lo ocurrido.

»Desarrollo de los acontecimientos

»Anteayer, lunes, fue un día de amarguísimas zozobras para la distinguida familia de nuestro compañero Luis R. Rodríguez. El hijo mayor del matrimonio, Luisito (o, como cariñosamente se lo llamaba en casa y entre sus amigos, Junior), no se había recogido al seno del hogar durante la noche anterior. En un principio, su ausencia no ocasionó excesiva extrañeza a nadie: los esparcimientos naturales de la juventud suelen mantener a los hijos de familia alejados de casa hasta horas algo avanzadas de la noche, particularmente los días domingo; de modo que su retraso produjo a los señores de Rodríguez el comprensible disgusto, pero no todavía alarma propiamente dicha. Ésta fue creciendo tan sólo cuando, al transcurrir las horas sin que el muchacho regresara, se cayó en la cuenta de que no ya había faltado a la de cenar, sino que tampoco había comparecido al almuerzo de mediodía. Entonces la inquietud de los preocupados progenitores empezó a hacerse seria. Considerando la edad difícil en que su vástago se encontraba, las conjeturas suscitadas por el retraso parecían aconsejar una dura reprimenda a su regreso, y medidas de mayor severidad y vigilancia para lo sucesivo, mejor que lanzarse a esas búsquedas un tanto ciegas que la madre, muy angustiada como corresponde a su condición de tal, proponía y urgía a su marido. Después de haberse cerciorado éste de que los otros hijos, sacados del sueño por un instante, no sabían dar noticias sobre el posible paradero del hermano mayor, prefirió, sin embargo, abstenerse de emprender averiguación de especie alguna hasta la madrugada, que el acongojado matrimonio vio clarear sin que, naturalmente, ninguno de ambos hubiera logrado pegar un ojo en toda la noche.

»Según dicho queda, las horas en vela fueron transformando la ira paterna en inquietud, y la inquietud en crecientes temores, hasta que, no bien creyó el señor Rodríguez poder hacerlo sin excesiva impertinencia, empezó a llamar por teléfono o a visitar personalmente las familias cuyos hijos eran compañía habitual del suyo, inquiriendo acerca de sus andanzas en la noche pasada. Todas sus gestiones resultaron infructuosas. Como si previamente se hubieran puesto de acuerdo, los amigos de Luisito coincidieron en afirmar, en manera sucinta y desnuda de cualquier detalle, que el Junior Rodríguez no había acudido el domingo, según solía, a reunirse con el grupo, ni ninguno de ellos lo había visto tampoco en parte alguna.

»Ante resultados tan descorazonadores, y ya que entre unas y otras diligencias se acercaba también la hora del almuerzo sin que el desaparecido Luisito diera señales de vida (con lo cual iban a pasar de veinticuatro las que faltaba de casa), el señor Rodríguez decidió poner su desaparición en conocimiento de la Dirección de Seguridad, encargándola oficialmente de emprender la busca del muchacho.

»Poco tiempo había transcurrido después de formalizarse esta denuncia, cuando a los cuarteles de la Policía llegaba –y no como fruto de pesquisas realizadas por ella, sino como triste don de la pura casualidad– una noticia que, cerrando el camino a cualquier posible esperanza, debía sumir a todos en la mayor consternación, y abrirlo en cambio a las investigaciones de un crimen cuyos motivos parecen a primera vista envueltos en el más denso misterio: el cadáver de Luisito había sido hallado por unos niños en cierto descampado de las afueras, próximo a la central eléctrica de Altagracia.

»Este hallazgo eliminaba por lo pronto la eventualidad de que el joven hubiera desertado del hogar a impulsos de una infatuación amorosa (única hipótesis que el preocupado padre había propuesto a la policía al presentar su denuncia), para dar lugar a una realidad mucho más penosa e irreparable. Era evidente, por desgracia, que Luisito había sido víctima de un brutal asesinato, pues la índole de las heridas que presentaba en la cabeza y torso no permitía considerar por un solo instante las alternativas de accidente o suicidio.

»El levantamiento e identificación del cadáver

»El lugar donde fue hallado el cuerpo del joven Rodríguez es uno de esos baldíos que la expansión urbana va reduciendo cada vez más, y que sirven en el ínterin a las de la chiquillería, tan abundante por las barriadas obreras de los alrededores, y a las de alguna pareja en busca de soledad propicia. Un grupo de la dicha población infantil, que se divertía con una pelota en aquel improvisado campo de deportes, descubrió –atraídos los pequeños futbolistas por la agitación obstinada de un perro– el cadáver del desaparecido Junior que, cerca de una tapia, yacía entre las altas ortigas.

»El juez de guardia, que no tardó en llegar acompañado por los correspondientes servicios técnicos y policiales, ordenó el levantamiento del cadáver y, una vez transportado al depósito, su reconocimiento por los atribulados progenitores, cuyos temores más negros habían de quedar confirmados pronto. Imposible sería describir la escena desgarradora que se desarrolló en el depósito judicial, ni sabría decirse si resultaban más patéticos los esfuerzos del abatido padre por mantener su presencia de ánimo, o los doloridos extremos de la señora Rodríguez, dama de la más distinguida prosapia criolla, quien, anteponiendo los sentimientos maternales a cualquier consideración mundana, prorrumpió en espantosos alaridos ante el espectáculo del hijo muerto. El contraste entre estas muestras de incontrolable dolor y el no menos expresivo silencio del señor Rodríguez causó en los circunstantes impresión penosísima.

»*Una pista descartada*

»Incidentalmente quedó apuntado más arriba que el infortunado padre, antes de conocer el espantoso final de Luisito, había expresado la sospecha de que su desaparición pudiera hallarse relacionada con ciertos amoríos, cuyo grado de intimidad no estaba el señor Rodríguez en condiciones de precisar, pero acerca de los cuales ofreció a la policía indicaciones que le permitirían entrar de inmediato en actividad, tratando ante todo de localizar a la damisela objeto de las asiduidades del infortunado joven. Es claro que si esta señorita se hubiera volatilizado también, la desaparición simultánea confirmaría la sospecha de una fuga en alas de Cupido mientras que, en caso contrario, debería desecharse tal hipótesis.

»El macabro hallazgo en los baldíos de Altagracia ha puesto un desdichado término a semejantes especulaciones. Pero el comisario Lupino, jefe de la Brigada del Crimen, al hacerse cargo del asunto –cuya dirección ha asumido personalmente y parece dispuesto a conducir con su conocida energía– consideró oportuno, no obstante, retomar la pista recién abandonada por sus subordinados, y llevar a cabo una diligencia que, si no ha rendido un resultado positivo, tampoco puede considerarse inútil, ni mucho menos.

»En efecto, al examinar los escasos elementos de juicio hasta aquel momento disponibles, observó el señor Lupino que el domicilio de la presunta amante del occiso se encuentra por los mismos rumbos y no lejos del lugar donde había sido descubierto su cadáver. Entonces, combinando celeridad y astucia, el comisario practicó una diligencia cuyo éxito iba a depender sobre todo del factor sorpresa: se trataba de explorar las reacciones de la joven, antes de que la noticia del crimen hubiera podido difundirse.

»*Quién es ella*

»La persona a quien venimos aludiendo es la señorita Candelaria Gómez, una muchacha de agraciado aspecto, sin ser precisamente una belleza, de actitud reservada y de no mala reputación, empleada durante varios años en las oficinas de una conocida firma comercial, la Casa Ruiz, donde ha trabajado hasta conseguir en fecha muy reciente admisión al Banco Nacional.

»Cuando a la Comisaría llegó noticia de haberse descubierto el cadáver de Luisito Rodríguez, ya los agentes policiales tenían anotado el domicilio de Candelaria y se disponían a visitarlo. Al comisario Lupino le llamó en seguida la atención, como queda dicho, la circunstancia de que ese domicilio esté situado también en las proximidades de Altagracia, parajes que sólo debido a Candelaria era probable frecuentara el infortunado Junior. Candelaria Gómez habita, con su padre y hermanos, una de esas viviendas obreras de la barriada que, como parte del grandioso programa social emprendido por nuestro Gobierno, se inauguró hace poco más de un año cerca de la central eléctrica.

»Y si la eventualidad de una escapatoria amorosa, sugerida en su denuncia por el señor Rodríguez, quedaba cancelada por la trágica evidencia del asesinato, este mismo hecho aconsejaba ahora, como medida prudente, realizar una investigación de las relaciones entre la víctima y quien en tan sospechosa vecindad vive del lugar del crimen. El comisario Lupino, en vez de confiar tal misión a miembros del personal bajo sus órdenes, prefirió personarse él mismo en las dependencias del Banco Nacional donde Candelaria presta sus servicios actualmente, y requerirla para que lo acompañara, a fin de esclarecer cierto hecho de la mayor importancia cuyos detalles le daría más tarde. Al parecer, la joven creyó que se trataba de algo relacionado con un cheque en condiciones anómalas, pues durante todo el camino se esforzó en explicaciones que el comisario fingía escuchar con atención para no sacarla entre tanto de su error. Y cuando, de improviso, entrando al depósito judicial, la enfrentaron con el mutilado cadáver del que había sido su amigo, la desprevenida criatura emitió un grito ronco y clavó histéricamente los dedos en el brazo del funcionario, quien debió sostenerla para que no se desplomara.

»A menos de atribuirle una capacidad de fingimiento superior a la de la más consumada actriz, es casi imposible que Candelaria Gómez tuviera ni el menor barrunto previo de la muerte del joven Rodríguez. Los vagos temores de que había dado señal cuando el comisario Lupino requirió amablemente su cooperación para aclarar un grave asunto, y sus confusas explicaciones acerca de un cheque deteriorado pero auténtico, se trocaron en definitivo anonadamiento ante el macabro espectáculo ofrecido a sus ojos, que procuraba y no podía apartar, horrorizados, del cadáver.

»Por supuesto, su estado de nervios no le hubiera permitido prestar declaración en aquellos momentos; y el comisario Lupino, tanto por consideraciones de humanidad cuanto convencido como lo estaba de que la muerte de Luisito la había tomado de sorpresa –pues eso al menos puede darse por seguro–, postergó para más adelante y en más propicias condiciones el interrogatorio de Candelaria.

»*El sepelio de la víctima*

»Una vez que el médico forense hubo concluido la autopsia del cadáver con el dictamen previsto de muerte violenta por heridas de armas contundentes, punzantes y cortantes (lo cual indicaría que fueron más de uno los autores materiales del hecho; y se anticipa que dicho informe facultativo pondrá aún de relieve alguna otra interesante particularidad), tuvo ayer por fin efecto el sepelio del malogrado joven Luis Rodríguez Imbert, hijo de una distinguidísima familia donde prosapia y talento se encuentran aliados.

»El acto constituyó una brillante y sentida manifestación de duelo, a la que se sumaron, no sólo las numerosas amistades y relaciones del matrimonio Rodríguez-Imbert, sino una multitud atraída por el dramatismo que rodea este misterioso crimen, cuyas circunstancias aguardan todavía esclarecimiento.

»En el cortejo fúnebre, que a su paso por las calles del centro concitó una verdadera muchedumbre de conmovidos espectadores, figuraban muy conocidas personalidades del mundo literario, artístico, comercial e industrial, bajo la presidencia del desventurado padre, nuestro querido compañero de redacción don Luis R. Rodríguez; y llamaba la atención en el séquito, como nota al mismo tiempo pintoresca y sentimental, la ofrecida por los amigos del finado, quienes acudieron a darle el último adiós ostentando los distintivos de su fantasía juvenil. Tras el féretro, en compacto grupo, marchaba ese puñado de muchachos, entre quince y veinte, hijos de las más destacadas casas de esta Capital, todos ellos vestidos con camisa vaquera, pantalón ceñido y ancho cinturón de gruesa cadena. Seis de estos jovencitos fueron, por cierto, quienes perentoriamente recabaron y obtuvieron el triste privilegio de llevar a hombros el ataúd desde la entrada del cementerio hasta el lugar donde su llorado compañero había de hallar eterno reposo.

»A sus afligidos deudos, y en particular a los inconsolables progenitores, reiteramos nuestro más sentido pésame.»

2.

«Los interrogatorios de ayer

»Pese a nuestros más denodados esfuerzos, es poco lo que nos ha sido posible averiguar acerca de las diligencias que, bajo la dirección del comisario Lupino, se llevan adelante con actividad desusada en relación con el crimen de Altagracia. Amparados en el secreto del sumario, los funcionarios que toman parte en la encuesta judicial se niegan a revelar nada que ofrezca indicaciones concretas sobre el curso de la investigación. Hemos tenido que luchar, pues, en el cumplimiento de nuestro deber informativo con las mayores dificultades, y apelar a conjeturas verosímiles para suplir la falta de noticias propiamente dichas.

»De todos modos, podemos asegurar a nuestros lectores que la policía trabaja muy intensamente y que, entre otras diligencias, quizás de mero trámite, llevó a cabo ayer dos interrogatorios que acaso revistan importancia primordial, pero cuyos resultados se ignoran: el de la señorita Candelaria Gómez y el de su padre, don Ismael Gómez, un antiguo trabajador rural que, atraído como tantos otros por el señuelo engañoso de la vida ciudadana, trabaja desde hace años como peón en una fábrica de los suburbios. Gómez, que es hombre taciturno, y que mostraba una expresión preocupada y pesarosa al salir del interrogatorio –por lo demás, breve– a que había sido sometido, no consintió en decir una sola palabra a los representantes de la prensa, resistiéndose igualmente, aunque en vano, a ser retratado por los fotógrafos. El lector encontrará, como complemento de esta información, dos instantáneas donde, no obstante la violencia del forcejeo y aparecer en ellas su cara medio tapada por el sombrero, se aprecia la noble dignidad de facciones que caracteriza a nuestra clase campesina.

»En cuanto a su hija, que debió, en cambio, permanecer más de tres horas en los cuarteles de la policía, también se negó a contestar nuestras preguntas; y sólo hemos conseguido averiguar después algún detalle secundario relacionado con su declaración. Si no estamos equivocados, el comisario Lupino quería puntualizar sobre todo la cuestión del cheque al que había aludido ella cuando, por vez primera, se la requirió a cooperar con la policía. Se recordará cómo la joven Candelaria creyó entonces que ésta se interesaba por determinado cheque, acerca del cual se adelantó a suministrar explicaciones que, por el momento, no merecieron la atención del comisario. Sin embargo, parece que luego ha deseado el señor Lupino apurar este asunto, siguiendo su concienzuda práctica de no dejar nunca un cabo suelto. Según podía presumirse, la historia del cheque carece por completo de importancia, y nada tiene que ver con el crimen investigado. Se trata de la liquidación que la Casa Ruiz hiciera a la señorita Gómez al cesar en la nómina de su personal. Por inadvertencia, el cheque en cuestión había sufrido deterioro; y, de otra parte, la cantidad abonada resultaba algo superior a la que la empleada calculaba percibir. Ambas circunstancias le hicieron temer por un momento que, tal vez, el contador de la empresa habría objetado el cheque al serle presentado al cobro. Y a eso se reduce la historia del famoso cheque.

»No es mucho, como puede verse, lo que podemos ofrecer hoy a la ansiedad del público, que con tanto apasionamiento aguarda el desarrollo de este drama. Quizás mañana las autoridades quieran o puedan mostrarse menos herméticas, y nos sea dado satisfacer la expectativa de nuestros lectores por la marcha de las actuaciones.

»Entre tanto, consignaremos aquí algunos datos recogidos de labios fidedignos acerca de la personalidad de la víctima, en la esperanza de que contribuyan algo al mejor conocimiento público del tenebroso asunto.

»Pequeña semblanza del Junior Rodríguez

»No imaginará el lector, ni lo imaginábamos nosotros mismos antes de emprender para servicio suyo esta ingrata tarea, las dificultades que se oponen al intento de trazar un perfil, siquiera aproximado, de un muchacho cuya vida ha quedado rota en edad tan temprana. La fisonomía del hombre hecho está fijada por las obras y los días; mientras que la del joven es todavía siempre muy indecisa. Y si hubiéramos de trazar la necrología de un adolescente fallecido en circunstancias normales; es decir, muerto de lo que se llama muerte natural, nos ayudarían en su elogio fúnebre esa colección de lugares comunes aptos siempre para satisfacer los exaltados y píos sentimientos de sus mayores. Pero, pendiente de esclarecimiento el horrible crimen de que ha sido víctima Luisito Rodríguez, la verdadera personalidad del muchacho, aquella que por lo común se oculta a la mirada de los adultos, distraídos en los afanes del diario vivir, debe establecerse (como un dato inexcusable del intrincado problema) a base de las indicaciones que proporcionan quienes más a fondo lo han tratado: sus compañeros y sus maestros, su novia.

»Por el instante, tenemos que prescindir para tal efecto de este último, esencialísimo elemento. No hay duda de que la señorita Candelaria Gómez, cualesquiera hayan sido sus relaciones con el finado, tendría palabras decisivas, y quizás reveladoras, que pronunciar a propósito de su carácter, de sus gustos, de sus ilusiones; y es claro que toda indicación al respecto puede, inesperadamente, suministrar una clave para el misterio que rodea a este asunto. Pero, según arriba quedó apuntado, dicha señorita se muestra irreductible en su reserva ante los periodistas, quienes, por otra parte, no hemos conseguido tampoco acceso a los folios de las declaraciones que van integrando el sumario. Aun así, la reacción de dolor inenarrable que, según parece, no pudo disimular Candelaria ante el mutilado cadáver de su amigo es ya de por sí un testimonio bastante elocuente de los sentimientos que el infortunado joven era capaz de despertar en el corazón de una muchacha nada vulgar, como sin duda lo es ésta; la cual, por si fuera poco el precoz desarrollo con que, en paridad de edades, suele adelantarse la mujer al hombre, cuenta de hecho un par de años más que el finado Luisito.

»En cuanto al físico, bien podía este último pretender, y en realidad pretendía, ser bastante mayor de lo que efectivamente era. Según sus retratos lo acreditan a los ojos de quienes nunca lo llegaron a conocer, el Junior Rodríguez era un cumplido mocetón, alto, fuerte y bien parecido –tanto, que su apariencia lo obligaba quizás a mostrarse, dentro del grupo de sus amigos, más hombre de lo que su verdadera edad prometía y consentía.

»Tal vez por ello, su aplicación a los estudios dejaba, en cambio, no poco que desear. Sobre este punto, uno de sus profesores, con quien hemos podido conversar y cuyo nombre retenemos por consideraciones obvias, no vaciló –al mismo tiempo que movía la cabeza lamentando su desgracia– en calificarle de "estudiante calamitoso" e incluso de "mal ejemplo", lo cual era más penoso aún, a juicio suyo, por el hecho de que, dada su inteligencia natural, hubiera debido desempeñar en su clase el papel brillante que correspondía al hijo de Luis R. Rodríguez, nuestro eminente publicista.

»Descontada esta queja de los profesores, que quisieran siempre, como es muy lógico, lucirse con sus discípulos de familia ilustre o conocida, y que con demasiada frecuencia tienden a olvidarse catedráticamente de los fueros y pensiones de la juventud, resulta claro que Luis Rodríguez Imbert era un muchacho agradable, de muy despejada mente, y querido por todo el mundo, ya que ese "mal ejemplo» aducido en contra suya desde el punto de vista pedagógico, si se lo contempla desde otro ángulo implica, tal vez, una nota positiva: el ascendiente de que el pobre Luisito gozaba entre sus camaradas.

»Hemos procurado también ponernos en contacto con algunos de éstos para escuchar su interpretación o, al menos, sus comentarios acerca de la tragedia; pero, sea que todavía se encuentran demasiado impresionados, abrumados por su peso, sea que rehúsan abrir su intimidad a extraños, lo cierto es que, por ese lado, sólo hemos podido sacar insulseces u obstinado mutismo. Es de esperar que, cuando llegue el momento –y sospechamos que será ya pronto–, estos jovenzuelos habrán de asumir una actitud menos refractaria frente a las autoridades que investigan oficialmente el caso; sobre todo, si por ventura es exacto algo que se oye a propósito de una fútil consigna de silencio, relacionada con la obediencia a una de esas bandas o especie de sociedades secretas que entre los adolescentes se están poniendo desde hace poco tan de moda, no sin peligro a veces para la tranquilidad del vecindario.

»Aparte de estas fantasías juveniles, por no decir puerilidades, de las que probablemente es un ejemplo más el atuendo impropio con que los amigos del difunto hicieron acto de presencia en la solemne ocasión del sepelio –fantasías en las que, con toda seguridad, participaba también el infeliz Luisito–, su vida no pasaba de ser la corriente en un hijo de familia, bien acogido en todos los ambientes, y ávido de disfrutar cuantas oportunidades de diversión procura hoy, con las ventajas y riesgos inherentes a toda gran ciudad, nuestra progresiva Capital.»

3.

«Una visita a Candelaria Gómez

»Aunque hasta el momento no se haya decretado prisión preventiva alguna, ni –en lo que nuestras noticias alcanzan– existan sospechas concretas y formales contra nadie, hemos juzgado interesante para nuestros lectores, adelantándonos quizás a los acontecimientos, entrevistar en su domicilio a la familia Gómez, cuyos dos miembros más caracterizados, padre e hija, han sido objeto –según se informó a su debido tiempo– de amplio interrogatorio por parte de la policía.

»A tal propósito, en horas de la tarde de ayer nos trasladamos a la barriada de Altagracia, donde los Gómez habitan, sin que nos fuera difícil localizar la vivienda ocupada por ellos. Efecto de la notoriedad alcanzada por Candelaria, de quien tanto viene hablándose en relación con este apasionante asunto, bastó que mencionáramos su nombre para que un enjambre de chiquillos, de la multitud que por allí pulula, se desvivieran por se-

ñalarnos a porfía el correspondiente edificio y nos escol-
taran incluso hasta la puerta del departamento, donde
todavía a la salida encontraríamos a algunos de ellos es-
perándonos.

«Se trata de un departamentito modesto, pero decente
y limpio, aunque quizás no lo bastante espacioso para
alojar a la numerosa prole de Ismael Gómez, quien, con
todo, puede considerarse afortunado de haber podido
obtenerlo siendo tantas las familias obreras que aspiran a
comodidades semejantes, fruto de la providente iniciativa oficial. El mismo Ismael nos abrió la puerta. Sorprendido (y no, desde luego, agradablemente) por nuestra visita, supo acogernos, sin embargo, con la tradicional
cortesía y hospitalidad de nuestros paisanos, aun cuando
también nos previno de entrada, al tiempo que apagaba
la radio, que íbamos a perder nuestro tiempo, pues nada
podría decirnos.

»En efecto, frente a nuestras preguntas se encerró en el
terco mutismo que ya había mantenido en los pasillos de
la Dirección de Seguridad al salir del interrogatorio: nada
sabía y, por lo tanto, de nada podía informarnos, como de
nada pudo informar a la policía. Astucia de rústico o verdadera ignorancia acerca de cuanto concretamente afecta
al caso investigado, nosotros optamos entonces por no
insistir en nuestros vanos esfuerzos frontales, y cambia-
mos la táctica para atacarlo al sesgo. Con un tono de
charla indiferente empezamos a ponderar el privilegio
que representa para los trabajadores conseguir vivienda
en las barriadas construidas por el Instituto; amistosa-
mente, inquirimos cuántos hijos tiene, el tiempo que lleva viudo; y cuando ya nos apuntábamos a preguntarle si
él estaba al tanto de las relaciones entre su hija mayor y el
difunto Luisito Rodríguez, se alzó de repente la cortina de

percal rameado que separa aquella salita del dormitorio familiar, y apareció Candelaria en el marco de la puerta, cual un ángel flamígero. Pero de su boca no salió la espada de fuego que temíamos, sino unas "buenas tardes" llenas de afabilidad. Se sentó entre nosotros, e indicó a su progenitor que ella atendería a estos señores.

»Aunque no se nos ocultaba la tensión contenida bajo sus impecables modales, tan en contraste con el nerviosismo que había mostrado la víspera en los cuarteles de Seguridad, quisimos obtener de su disposición favorable, forzada o no, el mayor provecho posible. Así, después de habernos disculpado por las molestias que, en cumplimiento de nuestro deber, teníamos que ocasionarles con nuestra intrusión, se desarrolló entre este reportero y la señorita Gómez, ante la presencia muda del autor de sus días y de nuestro compañero fotógrafo, el diálogo que a continuación reproducimos.

»–Señorita, perdone la indiscreción. Según *vox populi,* usted mantenía amores con el joven Rodríguez Imbert. ¿Es ello cierto? ¿Podría afirmarse que Luisito era novio suyo?

»–Luisito era amigo mío; éramos buenos amigos. Novios, quizás sea mucho decir.

»–Se contaba en el número de sus amistades.

»–Salíamos juntos a veces; íbamos al cine.

»–Como novios.

»–Sí, como novios.

»–Al parecer, la vista del cadáver (perdone que se lo traiga de nuevo a la memoria), dicen que le produjo a usted impresión tremenda.

»–Tremenda, puede imaginárselo. (Y al recordarlo, las facciones de la muchacha reflejaron todavía, atenuada, aquella impresión con un gesto crispado como el de las faces que los semanarios de misterio gustan ostentar en su portada.)

»–Usted, claro, no tenía la menor idea de lo que iba a encontrarse allí... ¿Sabía que amenazara a Luisito peligro alguno?

»Candelaria movió la cabeza negativa y tristemente.

»–¿Cuándo lo había visto por última vez?

»–¿Cuándo? Varios días antes. ¿Cómo va una a recordar exactamente cada detalle? –exclamó con cierta exasperación, con bastante acritud. Seguro que, durante el interrogatorio oficial, debían de haberla apretado ya sobre ese punto.

»–Entonces, quiere decir que no se veían ustedes a diario.

»–No, señor.

»–Y... permítame, Candelaria (o Candy, ¿no es así como la llaman?) –pues en efecto, habíamos comprobado que en el barrio la conocen por este diminutivo cariñoso–; permítame: su señor papá ya nos ha dicho que él no conocía a Luisito. ¿Acaso conocía usted, por su parte, a los padres de su amigo, al señor Rodríguez, a la señora de Rodríguez? No, ya veo que no. Una última pregunta, y no la molesto más: ¿por qué razones cambió usted de empleo recientemente?

»–Dígame, señor: si a usted –me respondió, medio encrespada– le ofrecen mejor sueldo en *El Tiempo*, o en una emisora radial, ¿no cambia?

»–Entiendo –le contesté, poniendo término a nuestra *interview* con unas fotografías a las que, después de vacilar por un momento, se prestaron, no de muy buen talante, padre e hija.»

4.

«Comerciante detenido

»Después de varios días de actividad intensa aunque silenciosa por parte de las autoridades encargadas de investigar el crimen de Altagracia, y de desorientación para el público y la prensa, que tropieza con las mayores dificultades en el cumplimiento de su misión informativa, ayer tuvo efecto una orden de detención que, sin duda, sorprenderá a no poca gente en esta Capital. El conocido comerciante don José Lino Ruiz, dueño de la cadena de almacenes que lleva su nombre, fue ingresado durante las primeras horas de la mañana en los calabozos de la Dirección de Seguridad, donde se lo mantiene incomunicado a disposición del señor juez instructor.

»No obstante ciertos rumores que venían circulando con insistencia, y que especulaban acerca del supuesto papel últimamente atribuido al antiguo patrono de Candelaria Gómez en el desenvolvimiento del idilio entre ésta y la víctima del asesinato que se investiga, la noticia de la prisión del señor Ruiz resultó por completo inesperada para los reporteros. La constante vigilancia que, a fin de servir mejor a nuestros lectores, hemos montado nosotros alrededor del asunto, se ha visto burlada esta vez por una circunstancia fortuita de la cual pudieron valerse las autoridades para proceder con ese sigilo al que –no siempre justificadamente, permítasenos expresarlo así con el mayor respeto– propenden siempre. Aludimos a la circunstancia de hallarse el dicho señor Ruiz recluido en su domicilio desde hacía algo más de una semana por efecto de una afección gripal contraída, según creemos, a raíz de la desaparición del joven Rodríguez Imbert.

Cuando esta notable coincidencia despertó, al combinarse con otros antecedentes no menos significativos, la curiosidad de los funcionarios a cargo de la investigación,
en lugar de llamarlo a declarar, según es de práctica, en
los cuarteles de la policía, ésta prefirió acudir a interrogarlo en su propio domicilio, evitando con ello despertar
en la opinión pública prematuras sospechas acerca de
una personalidad no carente de relieve y generalmente
apreciada en nuestros ambientes sociales.

»Si los datos que poseemos son exactos, no uno sino
dos prolongados interrogatorios, dirigidos ambos por el
comisario Lupino en persona, tuvieron lugar allí antes de
que se dictara el auto de prisión preventiva por virtud del
cual se encuentra detenido ahora, e incomunicado, el señor Ruiz en los calabozos de la Dirección. Inútil es advertir que, bajo tales condiciones, no podemos adelantar
nada relacionado con tan rigurosa medida, aunque resulta claro, teniendo en cuenta todas las consideraciones
previas, que nunca se hubiera adoptado de no mediar
motivos serios.

»En nuestro deseo de ofrecer al público la mayor cantidad de datos disponibles, de modo que cada cual pueda
formarse su propio criterio, reproduciremos a continuación algunas de las especulaciones que hemos escuchado, limitándonos prudentemente a recoger –y ello a título de mero rumor, sin hacernos en manera alguna responsables de su veracidad– lo que en los corrillos se
murmura.

»Es sabido, por lo pronto, que Candelaria Gómez, la
novia o amiga de Luisito Rodríguez Imbert, estuvo empleada hasta fecha reciente en la Casa Ruiz, donde trabajaba a las órdenes directas del propietario de la firma, el
hoy detenido don José Lino. Se añade que éste, cuya fama

de patrón estricto está muy extendida en los medios comerciales, dispensaba, sin embargo, a su secretaria un trato de favor, haciéndola objeto de particular protección. Entre los datos que se aducen para sustanciar este aserto figura el de haberle conseguido a su familia el departamento que actualmente ocupa en la barriada obrera de Altagracia, construida por el Instituto de la Vivienda, donde entrevistamos días atrás, como bien se recordará, a la joven Candy.

»Pues bien, según pretenden los que presumen de informados, su reciente despido, que, dados los antecedentes aludidos, produjo en la Casa sorpresa profunda, no obedeció a diferencias derivadas del trabajo, ni tampoco fue debido a la razón sencilla, que la muchacha nos ofreciera a nosotros en la referida oportunidad, de haber hallado un empleo mejor retribuido, sino a otras de índole muy delicada, que afectarían a sus relaciones amorosas con la futura víctima del crimen de Altagracia. La cuenta por liquidación de sus haberes pendientes e indemnización de despido, sobre la que inadvertidamente llamó ella misma la atención del comisario Lupino en un primer momento, desmiente –y la policía ha podido comprobarlo– su posterior afirmación de haber abandonado el empleo una vez obtenido el que ahora disfruta en las dependencias del Banco Nacional, pues ¿cómo se explicaría entonces dicha indemnización? Más cierto parece ser que este último puesto le fue concedido mediante la intercesión de Luisito, quien, sintiéndose caballerosamente obligado a compensarla de la colocación que por culpa suya acababa de perder, puso en juego para conseguir su admisión al Banco (e insistimos en que se trata de rumores incontrolados, de los cuales no podemos hacernos responsables) la amistad íntima y parentesco que le unía con los hijos de cierta personalidad financiera cuyos deseos son órdenes en la mencionada institución.

»Suponemos que la policía y el juez instructor se esfuerzan, ante todo, por esclarecer los motivos de ese despido, motivos sobre los cuales ha querido echar la propia interesada una discreta cortina de humo; pues bien pudiera ocultarse tras todo ello una historia sórdida, tejida con hilos pasionales, cuyo siniestro brillo acaso proyecte luces de tragedia sobre el oscuro asesinato que tanto conmueve en estos días a la impresionable imaginación popular.»

5.

«*Cita misteriosa*

»Con las últimas actuaciones oficiales de que dábamos sumaria cuenta en nuestro número de ayer, y en especial con la detención del comerciante Ruiz, la investigación del crimen de Altagracia parece haber entrado en una nueva fase y encaminarse ahora hacia su rápido esclarecimiento. Sin embargo, las autoridades observan todavía una actitud de secreto impenetrable, que esperamos se muestre justificada a la postre, pero que por el momento no podemos dejar de considerar excesiva, ya que en un régimen democrático como es el nuestro la opinión pública tiene sus fueros, y a la prensa compete, como derecho y como obligación, suministrarle los indispensables elementos de juicio sobre todas las cuestiones de general interés.

»Poniendo, pues, a contribución nuestros propios recursos informativos más que las ocasionales y siempre escasas revelaciones de la policía, hemos conseguido reunir algunos detalles relativos a la detención, practicada anteayer, del conocido comerciante de esta Capital, señor José Lino Ruiz, datos que nos enorgullecemos en brindar hoy a nuestros lectores en calidad de primicia.

»Según nos ha sido dado averiguar, fue una carta anónima lo que dirigió la atención de los investigadores sobre la personalidad de dicho señor, cuyo nombre, por lo demás, figuraba ya en los folios del sumario en su calidad de patrón, que hasta fecha muy reciente lo había sido, de Candelaria Gómez, alias Candy, la amiga del interfecto. Se limitaba el aludido anónimo a aseverar que, el día mismo del crimen, por la mañana, cierto empleado subalterno de la Casa Ruiz, de nombre Anastasio, había llevado a la víctima un recado de su jefe, don José Lino, para que el infortunado Luisito acudiera a verlo con la mayor urgencia.

»Como es lógico, la policía procedió de inmediato a verificar los datos de la anónima denuncia, arrestando e interrogando a Anastasio Madroñera, de diecisiete años de edad, mozo recadero en los Almacenes de Casa Ruiz, quien sin demora confirmaría la verdad del hecho. Inexplicablemente, entre la multitud de incidentes menores que a diario se ventilan en los cuarteles de Seguridad, estas diligencias pasaron inadvertidas para nuestros reporteros. Anastasio confesó, en efecto, que su patrón le había enviado en busca del Junior Rodríguez, con encargo de decirle –en persona, y muy privadamente– que el señor Ruiz necesitaba hablarle en seguida. Agregó que ello había tenido lugar el sábado anterior al crimen, a primera hora de la mañana, precisando Anastasio que en su camino hacia el domicilio de Luisito, se lo había tropezado "por la calle 29 de Febrero" (probablemente, conjeturamos nosotros, cuando el joven estudiante se dirigía a la universidad), y le había transmitido el recado de su pa-

trón. ¿Cuál había sido la respuesta de Luisito? Después de
apretar el ceño con señales de desagrado y encogerse de
hombros, respondió al mensajero: "Está bien. Dile que ya
iré a verlo cuando pueda; o si no, lo llamaré por teléfono";
respuesta que Anastasio Madroñera comunicó muy luego a su jefe.

»A esto se reduce, según nuestros informes, la declaración prestada por Anastasio, quien por cierto no parece
ser ninguna lumbrera. Preguntado por qué no había comunicado espontáneamente a las autoridades lo ocurrido, se quedó al pronto con la boca abierta; pero, estrechado sobre el punto, terminó por declarar que nadie sino él
mismo era el autor de la denuncia anónima dirigida a la
policía –aseveración que ésta comprobó de inmediato
con el oportuno peritaje caligráfico, poniendo en libertad sin más trámites al "inocente" Madroñera.

»*Contradicciones*

»Naturalmente, esta revelación introducía en el problema planteado por el crimen de Altagracia un factor nuevo e inesperado, cuya significación promete ser decisiva.
Muy pronto, las contradicciones en que iba a incurrir el
comerciante señor Ruiz llevarían, por lo demás, al ánimo
de los investigadores la convicción de que ahora avanza-
ban en la vía correcta y de que por fin habían atinado con
el camino que, muy probablemente, conducirá hasta su
solución.

»Cuando, por deferencia al señor Ruiz (que guardaba
cama bajo los efectos de un fuerte ataque gripal, según en
las oficinas de su negocio manifestaron a la policía), el comisario Lupino se trasladó a su domicilio particular para

tratar de puntualizar el alcance de aquella misteriosa cita
o llamada, dicho señor no sólo eludió mencionarla en su
respuesta a averiguaciones indirectas, sino que, preguntado por último directamente, negó en redondo que jamás hubiera enviado en busca de Luisito, y aun el haberlo
visto desde hacía muchos días. O, como rectificó luego,
varios días, sin precisar cuántos.

»Confrontado entonces con los términos de la minu-
ciosa declaración prestada por su dependiente Madroñera, el dueño de los Grandes Almacenes Casa Ruiz se mostró desconcertado, modificando su deposición anterior
en el sentido de que, cierto, había intentado –ahora se
acordaba, era verdad– ponerse en contacto con el Junior
Rodríguez; pero sin conseguirlo, ya que ni en toda la tarde de ese día, ni al siguiente, domingo, había respondido
el jovencito –"no señor; ni tan siquiera por teléfono"–,
mientras que para lo sucesivo el declarante se desenten-
dió por completo de él, y se dedicó a cuidarse el catarro
gripal que venía incubando y que lo había retenido en el
lecho desde entonces. Sin duda, la noticia horrible de lo
ocurrido a ese chico, hijo de una familia amiga como lo es
la de don Luis R. Rodríguez, sumada al aturdimiento que
ya de por sí producen siempre estas afecciones gripales,
había bastado a borrar por un momento de su memoria
aquellas incidencias nimias que tanto interesaban al comisario Lupino.

»Las vacilaciones y contradicciones de Ruiz volvieron
a reproducirse tan pronto como el comisario quiso averiguar para qué había deseado entrevistarse de tan urgente
manera con Luisito Rodríguez. A primera vista, su explicación tenía visos de satisfactoria: se trataba de reclamar-
le el pago, al menos parcial, de una cuenta acumulada por
el joven estudiante en su Establecimiento; pero tan pron-

to como el señor Lupino visitó la Casa Ruiz pudo comprobar –amén de otros hechos no menos intrigantes–
que tal cuenta no existía.

»En nueva declaración domiciliaria a la que José Lino
Ruiz fue sometido, pretendió ahora este señor que la supuesta deuda se originaba, no en compras a crédito que
Luisito hubiera efectuado en su negocio, sino en préstamo personal que él, Ruiz, había accedido a otorgarle,
como hijo de un antiguo amigo, para que el muchacho
saliera de un compromiso cuya índole –¡cosas de la
edad!– alegaba que le crearía dificultades serias con sus
progenitores. Es sabido que, en efecto, nuestro compañero Luis R. Rodríguez mantuvo tiempo atrás alguna amistad, enfriada más tarde, con el comerciante señor Ruiz,
cuya fama de liberalidad escasa no autorizaría, por otra
parte, la versión del "préstamo personal"; pero tras las pi-
fias reiteradas en que el declarante ha incurrido, esta nueva versión (por desgracia, inverificable, pues sólo el difunto Junior hubiera podido confirmarla o invalidarla)
deberá ponerse entre puntos de interrogación.

»A hacerla todavía más dudosa contribuyen otras indicaciones complementarias que la policía ha reunido, y
que robustecen sus sospechas acerca del papel que el detenido Ruiz pudiera haber desempeñado en la desaparición y muerte violenta del joven Rodríguez Imbert.

»*Detalles reveladores*

»La inspección efectuada por el comisario Lupino en las
oficinas de la Casa Ruiz a raíz de su primera visita e interrogatorio al dueño de la firma, rindió –según antes indi-
camos– resultados superiores a cualquier expectativa.

Pese a la actitud reticente del personal, no le fue, por ejemplo, difícil –tras haber comprobado la inexistencia de cuenta alguna a su nombre– enterarse de que Luisito, con pretextos diversos o sin ninguno, solía "mosconear por los locales" –como gráficamente describió una empleada sus asiduidades– hasta el despido de Candy Gómez, tras del cual ya no volvió, en cambio, a hacer más acto de presencia; mientras que otra de las mecanógrafas precisaba todavía que, en realidad, ya con antelación a dicho despido el señor Ruiz se había desembarazado del moscón molestoso, prohibiéndole el acceso a las oficinas. No hubo –y ello se comprende– quien se animara a sostener afirmaciones tajantes sobre este punto vidrioso, pero el comisario sacó la impresión neta de que todos los empleados de Casa Ruiz estaban persuadidos de que las relaciones entre éste y Candy no eran las de jefe y secretaria, sino que bajo su manto se cubrían otras de carácter íntimo. Si esto resultara cierto –cosa que, por nuestra parte, aventuramos, claro está, como mera hipótesis–, no se necesitaría demasiada suspicacia para inferir que el despido de la señorita Gómez obedeció a motivos por completo ajenos al trabajo. Así parece creerlo todo el personal de la firma.

»Tan diversos indicios justifican de modo cumplido el auto de prisión preventiva dictado contra José Lino Ruiz, quien deberá explicar a satisfacción muchos detalles antes de que logre ver disipadas las sospechas que sobre su cabeza se acumulan.

»*Antecedentes del encartado*

»La noticia que, publicada ayer, corrió cual reguero de pólvora, de haberse efectuado la detención de un conocido comerciante de esta plaza, el dueño de los grandes Almacenes Casa Ruiz, en conexión con el crimen de Altagracia, produjo, como era previsible, gran sensación en esta Capital, dando lugar a amplias y hasta delirantes especulaciones. Descontada la natural sorpresa, puede decirse que la nota dominante en todos los comentarios ha sido la de una generalizada indignación, cuyo tono iba subiendo de punto conforme se difundían nuevos datos, reales o imaginarios, relacionados con la personalidad de José Lino Ruiz y con la participación que se supone puede haber tenido en el asesinato del joven Rodríguez Imbert.

»Ciertos aspectos de su conducta privada, que, pese a la cuidadosa discreción de las autoridades, la encuesta oficial debía sacar a relucir inevitablemente, trazan un perfil moral del detenido cuya revelación coloca en situación desagradable a aquellos –y son muchos– que, obligados por la rutina del trato social, le discernían su amistad o su consideración. Numerosas son las personas que se sienten hoy burladas por su hipocresía, y como víctimas de una especie de abuso de confianza que les hace reaccionar con violencia extrema; tanto, que no es pura retórica en este caso hablar de una creciente ola de indignación.

»Naturalmente, es vejatorio el que un sujeto conocido, con quien cada cual se ha codeado en oportunidades frecuentes sin prestarle particular atención, se convierta de súbito en objeto de escandalosa publicidad; y es natural también que esto mismo nos lleve a reparar en rasgos de su carácter que antes, desapercibidos como estábamos, se nos habían escapado. Así, se recuerda y se saca a colación en estos días cierta peripecia bufa de la que fuera protagonista en otros ya lejanos este mismo José Lino Ruiz, encartado ahora por el crimen de Altagracia, y en virtud de la cual su nombre adquirió cierta notoriedad pintoresca a raíz de los acontecimientos derivados de la muerte del dictador Bocanegra. Durante aquel turbulento período en que la anarquía era gobierno, algunas personas, temerosas de sucumbir a los desmanes que estaban llevando el luto al seno de tantísimos hogares, buscaron refugio en las embajadas, huyeron del país, o procuraron ocultarse de una u otra manera; entre ellas, el dueño de los Almacenes Casa Ruiz, quien, a decir verdad, no tenía razón especial para sentirse amenazado, pues su negocio era por entonces mucho más modesto y, fuera de él, sus actividades sociales se reducían a la tertulia del viejo café de La Aurora, donde acostumbraba entretenerse con inocuas partidas de billar. Su desaparición, sin embargo, le prestó el aura de los mártires. Hacía tiempo ya que los exiliados se habían reintegrado a la patria, y hasta su propia esposa lo daba por muerto; de modo que, incluido su nombre en la lista de víctimas del terror rojo, gozaba de póstumos honores, cuando nuestro hombre reapareció por fin tan orondo; y no hay que decirlo: lo extremado de su cautela dio lugar a interminables chanzas. Este episodio, nota cómica en medio de aquella gran tragedia nacional, tan sólo había suscitado en su momento comentarios jocosos; pero, visto retrospectivamente a la luz de la actual situación, no deja de ofrecer un cariz siniestro. La insensibilidad hacia el prójimo que hace falta para haber mantenidos sumidos en innecesaria consternación a familiares y amigos revela a decir verdad en Ruiz un brutal egoísmo, y preludia el comportamiento criminal que ahora se le atribuye.

»Por supuesto, no es ésa la única tacha que se le imputa. Sea o no autor o siquiera instigador de la muerte de Luisito Rodríguez –cosa que nosotros, claro está, nos guardaremos muy mucho de prejuzgar en el presente momento–, de lo que no cabe la menor duda es de que José Lino ha engañado durante años de años a la gente honesta con quien se rozaba a diario sin que nadie pudiera percatarse de sus disimuladas inmoralidades. Se pone de relieve, por ejemplo, la total falta de escrúpulos con que este individuo manipuló para sacar a flote su negocio a través de varias crisis de confianza que, en repetidas ocasiones, lo tuvieran al borde de la quiebra; se le reprocha, por otra parte, la dureza con que implacablemente explota al personal dependiente y al público comprador, en contraste con esos otros industriales de espíritu moderno y amplio sentido social que por fortuna, empiezan a no ser ya tan raros en nuestros medios; y, sobre todo, se le afea –si es cierto, como afirman, lo que de él se cuenta– el abuso cometido seduciendo a una empleada suya, abuso este que, si por ventura escapara de los cargos que puedan formulársele en relación con el crimen de Altagracia (cosa improbable), todavía permitiría seguirle proceso por estupro o por corrupción de menores.

»Tal es el ambiente; y habida cuenta de los antecedentes mencionados, resulta muy lógico que la publicidad hecha alrededor de todo este desgraciado asunto haya desencadenado una avalancha de reclamaciones contra la firma Casa Ruiz, la conducta de cuyo dueño –dicho queda– tampoco en el terreno de las transacciones comerciales se considera irreprochable; pues, como bien se comprenderá, sus acreedores desean hacer efectivos sin demora los créditos pendientes, ante el justificado temor de que las complicaciones previsibles, tornándola insolvente, traigan eventual perjuicio a sus intereses legítimos.

»Por lo demás, acabamos de saber que la esposa del encartado ha resuelto a última hora cerrar en la emergencia las puertas del establecimiento central, más frecuentado de curiosos que de clientes en estos días; decisión que, por descontado, no contribuirá a facilitar las operaciones, y que algunos califican de medida fraudulenta, inspirada por la mala fe.

»*Comentarios*

»La detención reciente del dueño de los almacenes Casa Ruiz y su presunta participación en el crimen de Altagracia continúa dando materia a apasionadas discusiones que, a falta de nuevos desenvolvimientos (pues en todo el día de ayer no se produjo novedad digna de nota en relación con el asunto), derivan con frecuencia hacia lo personal y tienden a enconarse. El encartado es persona conocida entre las fuerzas vivas de la Capital; por lo tanto, nada tiene de extraño que su caso ocupe todas las conversaciones en las tertulias del casino, del cual era socio y asiduo concurrente el propio J. L. Ruiz. En nuestro deseo de explorar las reacciones que allí prevalecen nos hemos acercado a algunos grupos y hemos tratado de sondear a varias personalidades, sacando la impresión de que el ambiente lo rechaza y condena casi con unanimidad absoluta, aunque en la repulsa se registre una amplia gama de matices, desde el indiferente desdén hasta la indignación más encendida.

»Aparte de las conversaciones generales que hemos logrado escuchar, nos ha sido concedido el privilegio de un diálogo privado con el prestigioso presidente del casino, el respetable caballero don Cipriano Medrano, figura de extraordinario relieve económico y no menos firme autoridad moral, quien bondadosamente accedió a comunicarnos su actitud. Ésta es de dolorida sorpresa. El señor

Medrano, mirando el caso desde las serenas alturas de su
posición y de su edad, lo interpreta como resultado penoso de una época que permite a las pasiones juveniles des-
bordarse sin freno alguno para, sólo llegado el caso extremo, imponer mecánicamente unas sanciones que nada
remedian ni previenen nada.

»Con referencia concreta a José Lino Ruiz, el señor
Medrano se limitó a esbozar con la mano diestra un gesto
vago pero, a su manera, bastante expresivo.

»–¿Usted cree que realmente será culpable? –insistimos en preguntarle.

»–¿Qué es ser culpable, realmente, y qué importancia
tiene lo que uno crea? –replicó. Añadiendo todavía–: Vea,
jovenzuelo: ustedes, los muchachos de la prensa, son el
diablo: son capaces de fabricar una noticia con cualquier
cosita. ¡A otro perro con ese hueso! –palabras sibilinas
cuyo sentido dejamos que el lector conjeture.

»*La quiebra de Casa Ruiz*

»Es muy probable que, recorriendo días atrás nuestra
sección de noticias comerciales y financieras, reparara el
lector atento en la suspensión de pagos e intervención judicial decretada contra la firma Casa Ruiz, Grandes Almacenes de Ramos Generales, ya que el nombre de su
propietario, José Lino Ruiz, ha alcanzado amplia publicidad en estos días por razón del tristemente famoso crimen de Altagracia hacia cuya averiguación se encaminan
los esfuerzos de la policía.

»En la quiebra de dicho negocio puede verse simboli-
zada la más completa quiebra moral de su dueño. Quienes ingenuamente trataban, consideraban y estimaban a

Ruiz como un miembro honorable de nuestra comunidad, hallarán ocasión de nueva sorpresa y de gran escándalo en ciertos detalles curiosos que acaban de revelarse al margen de los trámites relacionados con la liquidación de la firma, y que iluminan en la personalidad de su titular rasgos de perversidad inusitada, poniendo al descubierto que los fundamentos éticos del sujeto en cuestión eran tan falsos, tan deleznables, como la base económica de su empresa mercantil.

»En efecto, al tomar posesión de sus locales la junta administradora se ha encontrado, disimulada –según se nos informa– al fondo de un corredor, una especie de "cámara de los placeres" cuyos arreglos "pompeyanos» sería indecente exponer a la luz pública.

»No parece aventurado suponer que este pequeño Sardanápalo oculto bajo las apariencias grises de un honesto comerciante empleaba esa guarida del vicio para corromper a inocentes criaturas, prevaliéndose de la necesidad que con tan lamentable frecuencia aflige a nuestras sufridas clases populares. El hecho, evidenciado por el crimen de Altagracia, de sus turbias relaciones con la secretaria Candelaria Gómez, a quien –si tal es el caso como se afirma– seduciría sin duda mediante la violencia y el engaño combinados, no constituirá probablemente sino una más entre sus vituperables fechorías.

»En cuanto al asesinato del infortunado joven que incautamente se le cruzó en el camino, todavía no han podido obtenerse esclarecimientos importantes acerca de la trama siniestra encaminada a privarlo de la vida. Según se nos asegura, y pese a la completa certidumbre que los investigadores abrigan de ser él y no otro el principal autor del crimen, José Lino Ruiz se niega con increíble tozudez a confesarlo, y aun a revelar la identidad de sus cómplices.»

6.

«*¿Nueva pista?*

»Con alborozo digno de mejor causa, y bajo el título sensacional –bien que interrogativo– de *¿Una nueva pista?*, insertaba nuestro colega *El Tiempo* en su número de ayer una información que, según pretende, debería cambiar la faz del crimen de Altagracia, presentándolo a una luz muy distinta.

»En realidad, más que de una nueva pista se trata de la conjetura, barajada ya antes por ciertos comentaristas radiales, de que la muerte violenta del joven Rodríguez Imbert pudiera hallarse conectada de una u otra manera con las actividades vandálicas de una pandilla que –imitación desgraciada de la vida yanki, tal cual el cine suele propagarla– están convirtiéndose desde hace algún tiempo en verdadera plaga de nuestra ciudad capital. Como es sabido, el propio Luisito (que en paz descanse) pertenecía a una de esas asociaciones juveniles, la pomposamente denominada Dragones del Espacio; y más de una vez se había pensado, en efecto, que su lamentable muerte pudiera ser resultado de quimeras o venganzas entre pandillas rivales, sin que ninguna base positiva haya venido a autorizar hasta ahora semejante hipótesis. Las jactanciosas alharacas de nuestro estimado colega se fundan en el mero hecho de que, probablemente sin atribuirle importancia mayor y más bien como cuestión de rutina, la policía ha estado interesándose en días recientes por los Dragones del Espacio, así como por otra banda que lleva el no menos absurdo nombre de Mi Solo

Dueño, y que, como el lector acaso recuerde, mantuvo con la primera hace ya varios meses una especie de batalla campal más dañosa para el alumbrado público y propiedad privada que para la integridad física de los combatientes, entre los cuales hubo que lamentar, sin embargo, algunos contusos.

»Antes por nuestro deseo de apurar la exploración en todas las direcciones imaginables que por hallarnos convencidos de que esta pretendida pista conduzca a parte alguna, vamos a ofrecer en forma sumaria, y a falta de más interesantes informaciones sobre el crimen de Altagracia, los datos que un oficial de policía nos ha comunicado confidencialmente acerca de las mentadas organizaciones, algunos de cuyos pintorescos detalles resultarían curiosos, a la par que alarmantes, para el público desprevenido y, sobre todo, robustecerán la conciencia de que nos hallamos frente a un serio problema de orden público cuya gravedad no puede seguirse desconociendo.

»*Las pandillas: Mi Solo Dueño*

»Aun cuando son numerosas las pandillas juveniles de que la policía tiene noticia (y bastante diversas, por cierto, unas de otras, desde varios puntos de vista), nos reduciremos aquí a las dos que, últimamente, han sido objeto de su particular atención, y que pudieran acaso presentar concomitancias, siquiera remotas, con el crimen investigado, comenzando por aquella que parece ser la mejor organizada y más peligrosa de ambas: la conocida bajo el lema Mi Solo Dueño.

»En ésta –se nos revela– alcanzan su punto extremo las notas de rigor, disciplina y clandestinidad que, en mayor o menor grado, caracterizan a tan detestables asociaciones semicriminosas. Sus componentes se reclutan, por lo general, de entre los más humildes estratos sociales, si bien figuran en sus filas muchachos de extracciones muy diferentes, e incluso –se nos asegura– algunos pertenecientes a pudientes familias de tradicional solera en el país –promiscuidad repugnante, sólo explicable a través de las peculiaridades que prestan a esta banda un carácter singularísimo–. El ingreso en ella se cumple mediante pruebas de severidad brutal, de las que no todos los candidatos consiguen salir triunfantes, y cuya crueldad ha llevado a alguno hasta el límite de arriesgar la vida. ¿Para qué? Para ser admitido, por lo pronto, al nivel inferior de la organización.

»A diferencia de otras pandillas, de estructura laxa y fluctuante, y a veces de existencia esporádica, Mi Solo Dueño presenta una jerarquía rígida, dentro de dos categorías principales, "dueños" y "doñas", la primera de las cuales, más reducida, incluye al grupo selecto de los veteranos, bajo cuyas inmediatas órdenes actúan los "doñas". Cada neófito está obligado a obedecer con sumisión de esclavo al veterano o dueño que lo patrocina, por virtud de un extraño pacto de fidelidad entre cuyas complicadas ceremonias figura el tatuaje del nombre. Sólo cuando un "doña" ha demostrado suficientes méritos, se le promueve a la categoría de "dueño" por votación de estos últimos y con anuencia del jefe de la banda, o Padre, cuya identidad están juramentados a mantener secreta.

»No necesitamos subrayar todo lo que envuelve de ambiguo, turbio y peligroso un cuadro semejante, que, por cierto, a quienes no somos ya tan jóvenes, nos recuerda penosamente los principios sobre los cuales reposaban aquellas execrables y famosas secciones de asalto hitlerianas en la Alemania nazi. No pretendemos, por supuesto, equiparar a la abominación del siglo esta que, en nuestro ambiente tropical, no pasa por suerte de ser una diversión juvenil sólo por excepción en conflicto con el orden público; lejos de nuestro ánimo el propósito de desorbitar tanto las cosas. Pero tampoco quisiéramos dejar pasar por alto el peligro implícito en semejantes juegos, peligro del que atestigua ese interés que la policía se toma en ellos con ocasión del crimen de Altagracia, para no hablar de consideraciones morales, que son obvias.

»El oficial a cuya amabilidad debemos estos pormenores nos mencionó, entre otros datos que no podríamos reproducir aquí, un caso reciente en que se practicaron varias detenciones relacionadas con ofensas a las costumbres, y en ocasión del cual se descubrió, tatuada en la piel de uno de los implicados, la misma iconografía y lenguaje obsceno con que gente grosera suele ensuciar las paredes de los evacuatorios públicos. Sin llegarse a tanto, no es infrecuente que el ascenso de *status* dentro de la banda, o una simple mudanza en el compromiso de fidelidad erótico-feudal, imponga tachaduras, alteraciones –a veces muy hábilmente hechas–, correcciones, en fin, con cambio de nombres y de eternas promesas, sobre el pecho y brazos, cuando no otras partes menos decentes, del interesado.

»De todos modos, y tan indeleble como sus tatuajes es la marca que imprime la asociación sobre el carácter de sus miembros, cualquiera sea la índole personal de cada sujeto, su extracción social o su educación, al colocarlos desde bien tierna edad bajo una dependencia que impone sumisiones ciegas dentro de una atmósfera espartana, para contraste –irónico y triste, a decir verdad– con la lenidad en que se están disolviendo hoy los vínculos religiosos, domésticos y hasta cívicos, constitutivos fundamentales de nuestra más noble tradición nacional.

»*Los Dragones del Espacio*

»No todas las pandillas juveniles presentan, desde luego, un cuadro tan sombrío como el que acabamos de bosquejar a propósito de Mi Solo Dueño; y hasta algunas de ellas ofrecen ciertos rasgos de solidaridad que merecen simpatía. Excelente ejemplo de esto nos lo brindan los Dragones del Espacio, a cuya organización perteneció el extinto Junior Rodríguez Imbert. Como él mismo, los Dragones son en su mayoría muchachos de buena familia y de conducta correcta, aunque no siempre irreprochable, a quienes reúne el objetivo principal de procurarse las diversiones exigidas por su edad –diversiones que, es inevitable, adquieren a veces el giro predatorio y un tanto brutal propio del espíritu adolescente, exacerbado en la emulación.

»Por regla general puede afirmarse que cuando los jóvenes Dragones del Espacio incurren en actos de vandalismo lo hacen bajo el estímulo de alguna provocación exterior. Sin eso, sus entretenimientos normales y predilectos se reducen a celebrar reuniones a puerta cerrada donde se invita a muchachas (al parecer, existe incluso una pandilla femenina subsidiaria de los Dragones, llamada Hermanas Atómicas), se bebe, se baila y –no hace falta demasiada imaginación para suponerlo– se cometen quizás otros excesos.

»Por lo demás, los Dragones del Espacio constituyen una banda o sociedad bastante reducida, cuyos componentes resultan fáciles de identificar, tanto más, cuanto que no se esfuerzan por ocultarse y hasta en ocasiones hacen público alarde de su solidaridad, según ocurrió en el entierro de su camarada Rodríguez Imbert, donde lucieron un atuendo llamativo y, por cierto, muy impropio de tan solemne ocasión. Esto ha permitido a la policía practicar algunas diligencias relacionadas con varios de los más destacados Dragones, siempre en busca de datos que puedan arrojar alguna luz sobre el crimen de que ha sido víctima su compañero. Entre paréntesis, creemos poder asegurar que, por lo que se refiere a Mi Solo Dueño, los investigadores llegaron pronto a la certidumbre de que esta banda es totalmente ajena al hecho, ya que no ha vuelto a tener contacto alguno con los Dragones desde la reyerta que tanto escándalo produjo tiempo atrás; mientras que, por el contrario, estos últimos eran los amigos personales de Luisito, con quienes a diario andaba, y de los cuales podrían quizás obtenerse datos útiles para el esclarecimiento del crimen.

»No con otro propósito, y desde luego sin que su intervención implique en modo alguno la sospecha de posibles participaciones, estuvo interrogando la policía a por lo menos cinco jóvenes Dragones, entre ellos los hermanos Doménech, hijos del presidente del Consejo de Administración del Banco Nacional, don Antonio Doménech, y parientes por el lado materno del infortunado Luisito, ya que la señora de Doménech y la esposa de nuestro querido compañero de redacción Luis R. Rodríguez son primas hermanas, nietas ambas damas de un ilustre prócer patrio, el general, tribuno y poeta Amadeo Imbert.»

7.

«Un compás de espera

»Nuevamente hemos de ocuparnos hoy, si bien con la circunspección debida, de ciertas diligencias iniciadas recientemente por la policía alrededor del crimen de Altagracia, diligencias que, en cambio, parecen constituir una fuente de especial complacencia para nuestro colega *El Tiempo*. Nos referimos a la línea de investigación que apunta hacia las actividades de los llamados Dragones del Espacio, la banda juvenil de la que, según nuestros lectores saben, era miembro el occiso Luis Rodríguez Imbert, y a la que pertenecen también, o pertenecían, varios hijos de familias distinguidísimas, entre ellos, los hermanos Doménech Imbert, parientes del llorado Luisito e inseparables amigos suyos.

»Es un triste deber de las autoridades el de seguir todas las pistas a su alcance por mucho que su acción pueda herir la delicadeza o causar lamentables molestias a personas honorables; pero si el interés de la policía o del juez instructor está justificado por la gravedad de su misión, nada disculpa en cambio la curiosidad, que pudiéramos calificar de malsana, con que ciertos medios publicitarios aumentan innecesariamente las vejaciones que todo interrogatorio comporta a quienes, en principio, hay que suponer colocados por encima de cualquier sospecha. Y una vez formuladas estas salvedades, pasamos a cumplir nuestro deber informativo.

»Como bien se comprenderá, habiendo transcurrido varios días sin que concluya de perfilarse una versión firme y convincente del crimen de Altagracia, el comisario Lupino, encargado de dirigir la investigación, tenía que iniciar alguna exploración en nuevas vías. El grupo de los amigos íntimos de la víctima ofrece campo propicio a las averiguaciones policiales, tanto más, dado que estos jovencitos han venido observando desde el primer instante una actitud de insolente despego llevada hasta el extremo de cicatear al atribulado padre, cuando todavía no se habían perdido las esperanzas de hallar vivo a Luisito, aquella cooperación que hubiera sido lógico esperar de ellos. Sin que propiamente pueda considerarse sospechosa su reticencia, es claro que las autoridades estaban en la obligación de procurar inducirlos a abandonarla, y a suministrar cuantos datos puedan ser de ayuda para iluminar las circunstancias del abominable crimen.

»Si nuestras noticias son exactas, por lo pronto todos los muchachos interrogados se aferraron a las respuestas negativas y lacónicas del comienzo; y fue necesario un derroche de paciencia y habilidad para que, al fin, algunos de ellos se mostraran mejor dispuestos a coadyuvar en la acción de la policía. Por lo que se refiere a los hijos del señor Doménech, sin duda los más próximos compañeros del infortunado Luisito Rodríguez, entendemos que fue menester la más decidida intervención paterna para sacarlos de una tesitura dictada en ellos, seguramente, antes por el dolor del amigo perdido y por ese orgullo puntilloso y exacerbado propio de los adolescentes, que por el espíritu de rebeldía absurda contra sus mayores con tanta frecuencia reprochado a la joven generación.

»Interrogatorios cautelosos, informales y, al mismo tiempo, extenuantes, han conducido, por lo que sabemos, a descubrir ciertas interioridades en la organización Dragones del Espacio, que delatan en su seno la presencia de factores menos inocuos de lo que solía pensarse.

»Y con esto ponemos por hoy término a nuestra información sobre un asunto que pudiera hallarse en vísperas de adoptar un giro sensacionalísimo.»

8.

«El crimen de Altagracia: una perspectiva imprevista

»No escaparía a la sagacidad de nuestros lectores que, pese a la reluctancia con que hubimos de hacernos eco en estas columnas de ciertas actuaciones policiales –alegremente aireadas, en cambio, por otros órganos de prensa– relativas a la banda juvenil Dragones del Espacio, serios motivos nos obligaban a abandonar nuestra natural reserva, insinuando la probabilidad de que la investigación del crimen de Altagracia descubriera nuevas y sorprendentes perspectivas.

»Fieles a esa "sesuda política de proceder siempre con pies de plomo" que ayer nos atribuía *El Tiempo* con la maligna intención de zaherirnos, abrigábamos sin embargo el barrunto de que algo insospechado pudiera ocultarse en el fondo de tales diligencias; algo que, con toda la suya, pasó por alto nuestro avispado colega, y que hoy, al ser revelado en las columnas de *El Comercio*, llevará, suponemos, el plomo de nuestros pies al ala que tanta ligereza presta a los de ese travieso Mercurio disfrazado de Cronos, enseñándole a administrar con más prudencia en el futuro sus fáciles sarcasmos.

»Y contestada mediante esta breve e inexcusable digresión mitológica la impertinencia del colega, nos apresuramos a desmentir categóricamente las insinuaciones con que *El Tiempo* ha estado procurando deslizar en el ánimo de sus lectores la sospecha implícita de que el interrogatorio de varios muchachos (hijos todos de familias distinguidas, y amigos íntimos, parientes incluso, del difunto Rodríguez Imbert) pudiera significar una eventual complicidad suya, o alguna suerte de participación en la muerte del desdichado joven. Muy al contrario, estamos en condiciones de asegurar que los esfuerzos del comisario Lupino, y la atención por él prestada a los Dragones del Espacio, apuntan en dirección bien distinta.

»He aquí los hechos escuetos, con los que nuestra lentitud de tortuga derrota esta vez en la carrera informativa a la leporina irresponsabilidad de *El Tiempo*. Son de tal índole que, sin la menor duda, imprimen nuevo sesgo a todo este tenebroso asunto.

»Otro anónimo

»Conviene saber que en el origen de esta nueva línea de investigación figura un anónimo llegado hace poco a los cuarteles de la policía, y cuyo contenido despertó en seguida la atención del comisario Lupino. Por cierto, no deja de ser curioso el papel que en el asunto del crimen de Altagracia están desempeñando los anónimos. Como siempre en caso tales, la excitación de la fantasía popular mueve a muchos desocupados o chuscos, y también a no pocos dementes, a enviar una verdadera lluvia de cartas sin firma, entre las cuales, claro está, puede hallarse también de vez en cuando alguna indicación merecedora de estudio. Esto fue lo ocurrido, como se recordará, con la carta que determinaría la detención de José Lino Ruiz, y que a final de cuentas resultó estar escrita por uno de sus propios empleados. No sería de extrañar que este otro anónimo, cuyas primeras consecuencias han sido el interrogatorio de los hermanos Doménech Imbert y de varios otros Dragones del Espacio, hubiera abierto una senda hasta ahora intransitada.

»Por nuestra parte, hemos conseguido obtener una entrevista del comisario Lupino, quien, pese a su conocida reserva y a la cantidad de trabajo que gravita sobre sus hombros, tuvo la bondad de otorgarnos ayer algunos minutos de su precioso tiempo. A continuación reproducimos sus palabras con literal fidelidad.

»–¿Es cierto, comisario Lupino –le preguntamos–, que una carta anónima es lo que ha motivado los interrogatorios recientes?

»–La policía no puede, no debe desdeñar ninguna sugestión, sea o no anónima, que prometa ayudarle a esclarecer hechos delictivos. Por supuesto, también procuramos siempre, como parte de la tarea, sacar del anonimato a los autores de la denuncia. Recuerde usted, por ejemplo, a Anastasio Madroñera, el mandadero de la Casa Ruiz. (Alude el comisario al mozo que reveló a las autoridades el sospechosísimo recado que José Ruiz enviara a la víctima el día mismo de su desaparición.)

»–Quiere decirse, comisario, que sus oficinas estudian en particular cada anónimo.

»–Mi querido amigo –nos replica, sonriendo, el señor Lupino–, si eso hubiera de hacerse necesitaríamos disponer de una organización colosal. La Secretaría del Director General recibe y clasifica la balumba de esa abigarrada correspondencia espontánea (no todo son anónimos, dicho sea de paso), y la reparte a las secciones que, por la materia de cada escrito, pudieran resultar interesadas; las cuales prestan a ese papelerío la consideración requerida. Y no crea usted: casi todo ello rinde alguna utilidad, in-

mediata o remota. Mucha gente se maravilla de que la policía esté enterada de, prácticamente, todo cuanto sucede,
aun de ciertas minucias cotidianas, rencillas entre veci-
nos, deudas nunca satisfechas, trapisondas de mujeres,
inmoralidades de menor importancia... Pues bien, una
parte considerable de esa información trivial (que archi-
vamos, eso sí, con el mayor cuidado) la suministra el celo
del público mismo, casi siempre en forma anónima o
bajo nombres supuestos. Nosotros no somos omniscien-
tes, claro está, y nuestros propios recursos distan mucho,
por desgracia, de lo que sería necesario, sobre todo para
una época de desbordamientos increíbles en todos los órdenes, como lo es la actual. Fuerza será que las Cámaras
legislativas consideren en la discusión del próximo pre-
supuesto nacional las exigencias mínimas para que nuestro servicio de seguridad se ajuste a las pautas universa-
les de una policía moderna y científica. Mientras tanto...

»–Volviendo al punto, señor comisario, si usted me lo
permite: ¿podríamos conocer el contenido preciso del
anónimo que ha dado ocasión...?

»–Como le iba diciendo, la mayor parte de esas cartas,
a veces muy disparatadas, obra de verdaderos alienados,
no obtiene más atención que la de anotarlas en el archiva-
dor. Si una suegra demasiado avara deja que su hijo y nietos pasen privaciones; si se murmura que el párroco tal
aplica la misma misa a la intención y al estipendio de varios sufragantes; si el marido fulano jamás comete la im-
prudencia de regresar a casa sin haberse anunciado antes
por teléfono, son noticias cuya exactitud no urge aquila-
tar: valgan por lo que valieren. Pero las relativas a un crimen importante, aunque parezcan *prima facie* absurdas o
pueriles, ésas sí, se someten a un cuidadoso análisis que,
bien entendido, nada prejuzga. Así se ha hecho con el anó-

nimo a que usted se refiere. Pero..., sintiéndolo mucho, estimado joven, va a tenerme que dispensar, porque...

»–Un momento aún, señor comisario. ¿No podría decirme en dos palabras el contenido...? Perdón: ¿no podría
al menos confirmarme si, en efecto, la denuncia en cuestión se relaciona con la Iglesia de Dios Feliz? –preguntamos apresuradamente, viendo que el funcionario, tras una
impaciente mirada al reloj, se levantaba para despedirnos.

»El señor Lupino no parecía, sin embargo, dispuesto a
mostrarse más explícito. Nos dio la mano, pero nos negó
precisiones mayores, dejándonos con su amable sonrisa
en el derecho –puesto que quien calla, otorga– a interpretar su callada por una respuesta afirmativa. En uso de ese
derecho, y ahora bajo nuestra exclusiva responsabilidad,
pasamos a referir lo que hemos logrado averiguar mediante otras fuentes, dignas también de todo crédito,
pero cuya identidad no estamos autorizados a revelar.
Quienes juzguen inverosímiles muchos detalles comprobarán con el tiempo que nuestros informes eran rigurosamente exactos.

»La Iglesia de Dios Feliz y Reconciliado

»Seguros estamos de que la Iglesia pintorescamente denominada de Dios Feliz, objeto de nuestra última pregunta al comisario señor Lupino, para la inmensa mayoría de nuestros cultos lectores, si tan siquiera han oído
hablar de ella, no pasará de ser, en el mejor de los casos,
sino una de tantas expresiones de religiosidad más o menos aberrante, a la que habrán concedido atención nula.
De hecho, constituye una pequeña secta que –aun cuando nueva, pues su fundación data de hace sólo ocho o

nueve años– ha conseguido aglutinar un grupo muy activo de catecúmenos en los alrededores del barrio Elipa, donde su pequeño templo se encuentra situado. La fotografía que acompaña a esta información permitirá a quienes no quieran aventurarse por aquellos andurriales formarse idea del edificio de tablas, encima de cuya puerta, pintada de rojo para contraste con el verde de la fachada, se alza una imagen barbuda que, no obstante exhibir polainas de motorista, recuerda vagamente a la de los cristos triunfantes, con una especie de jupiterino rayo de la muerte en la diestra y un arpón en la siniestra mano. Las botas de la curiosa figura descansan sobre la inscripción DIOS FELIZ Y RECONCILIADO que en letras blancas corona el dintel.

»Bien puede advertirse: la pretendida Iglesia es uno de los muchos cultos extravagantes que proliferan en nuestros confusos días. Al frente de sus servicios se halla, no un pastor, sino una mujer, la Fundadora, quien, en este avatar religioso, ha adoptado el título de Diosa Felicitas, pero que ya antes era generalmente conocida y estimada en aquellos contornos, donde ejercía la profesión de comadrona bajo su nombre civil y cristiano de doña Feliciana González.

»Respecto de la doctrina de esta Iglesia, en la medida en que nos ha sido posible tomar noticia de ella, y según la entendemos, consiste en una especie de sincretismo barato, fluctuante y lleno de contradicciones, cuyo ridículo misterio parece no repugnar a la mente primaria de sus secuaces. Se cifraría este misterio, a lo que nos han explicado, en la Fusión de los Contrarios hacia la Gran Unidad Feliz, o Dios Reconciliado. Doña Feliciana, o la Diosa Felicitas, pretende que –Santa, Predestinada y Elegida– en su Persona visible concurren la Noche y el Día, se mezclan las Dos Razas (al igual que la generalidad de aquel vecindario, dicha señora presenta, en efecto, el color de piel y los rasgos físicos de la hibridación), se combinan ambos sexos, y está cumplida, en fin, la Reconciliación del Cielo con la Tierra. Identificándose sacramentalmente con el Dios Eterno, doña Feliciana ostenta durante los actos del culto copiosa barba postiza; y, si han de creerse los rumores que hemos logrado recoger en nuestra exploración de aquellos santos lugares, la reunión de los principios masculino y femenino es algo más que simbólica en la Diosa Felicitas, quien –digámoslo con toda clase de reservas– pudiera ofrecer uno de esos no tan infrecuentes casos de hermafroditismo, real o aparente, por los que la biología patológica se interesa. Con su barba postiza, cuya negrura excesiva destaca sobre la impoluta túnica blanca, cerrados los ojos, los brazos en alto, extática, hierática, todos los viernes preside una ceremonia curiosa, que por desgracia no nos ha sido permitido presenciar, pero en la que, según se nos cuenta, hay confesión pública, trances místicos, curaciones y, a veces, también flagelaciones frenéticas en medio de los himnos que, sin descanso, entona durante horas enteras un rebaño de fieles, hombres y mujeres de todas las edades, cubiertos todos de blanca túnica, todos descalzos, y todos unidos en una fraternidad caritativa o fanática con la que, de cualquier manera, sienten de seguro las pobres gentes confortación en las penalidades de su vida diaria.

»*Dos mundos en conflicto*

»¿Qué relación, qué punto de contacto cabe establecer entre este mundo místico primitivo que hemos intentado describir siquiera esquemática, sumariamente, y la *high life* donde se mueven los Dragones del Espacio con sus fantasías ultramodernas? ¿Cómo pudieron nuestros elegantes marcianos aterrizar en la Iglesia de Dios Feliz? Digámoslo en una palabra: por obra y gracia del eterno femenino. No hay duda que la historia se repite y, en resumidas cuentas, tampoco las novelas y tirillas de *Science Fiction* hacen otra cosa que reelaborar, para uso de nuestros delfines, chicos y adultos, la vieja historia de la guerra troyana. En el caso presente –que no es ficticio, sino, por desgracia, demasiado real– el papel de la Bella Helena le ha tocado representarlo a una de las secuaces de la Diosa Felicitas, una menor de edad –y bastante menor, al parecer–, no muy desarrollada de inteligencia, aunque sí de cuerpo, a quien cierta patrulla de Dragones del Espacio, durante un *raid* automovilístico por los arrabales, había convencido de que los acompañara y compartiera con ellos las delicias de íntimo guateque, con abundancia de bebidas, música de fondo y discretísima penumbra.

»Esto ocurrió un jueves; y la cuitada, que, por lo visto, no había alcanzado a captar muy bien la situación, pero que percibió de cualquier modo algo de nefando en ella, no se abstuvo de confesarla durante la solemnidad del día siguiente, viernes, muy asustada todavía, ante sus Hermanos, en el Templo; y lloraron todos.

»Pero la cosa no había de quedar ahí; pues pocos días más tarde a los insaciables Dragones les vino el desdichado antojo de volver por allá en busca de carne fresca; alguien debió de reconocer el automóvil; hubo tremenda pedrada desde una esquina o valla; y entonces los jóvenes marcianos, irritados y vindicativos, habiendo perseguido en vano la mano escondida que arrojara la piedra, se aplicaron, en ausencia de mejor enemigo, a lanzar pellas de barro contra la imagen de Dios Feliz hasta ponerla hecha una lástima; tras de lo cual, todavía, forzaron las puertas del Templo, que estaba desierto a aquellas horas, y aprovecharon tan cómoda soledad para ensuciarlo exonerando vientres y vejigas por los rincones. Cumplida esta profanación, los malcriados desertaron el campo de su indecente hazaña.

»Hasta aquí, los antecedentes que –no sin gran esfuerzo, como ha de imaginarse, y apelando a distintos recursos– hemos podido recoger en nuestro deseo de ofrecerle al lector un cuadro completo que le permita desentrañar las implicaciones del anónimo cuyo contenido orienta los trabajos actuales de la policía, trabajos a cuyo término puede vislumbrarse una solución bastante inesperada para el crimen de Altagracia.

»*El texto delator*

»Y ¿qué es lo que dice el famoso anónimo? ¿Cuáles son sus revelaciones? Sin asegurar nada, ya que las autoridades oficialmente encargadas del asunto mantienen a este propósito el más impenetrable secreto, creemos no estar descaminados al describir dicho documento como un escrito extenso, redactado con astucia, y fruto sin duda de meditada colaboración entre un grupo de personas; salido, con la mayor probabilidad, de círculos donde, por razones comprensibles, no pueden contemplarse sin alarma las actividades proselitistas de la Diosa Felicitas. Contra ésta dirige en realidad sus dardos el hábil escrito, presentándola como vulgar impostora que maneja a su placer, para fines egoístas y perversos, a un puñado de "desgraciados ilusos" cuya ignorancia, cortas luces y fanatismo los hacen víctima propiciatoria en un culto salvaje, que sólo por culpable negligencia de los poderes públicos se concibe en el seno de una sociedad civilizada.

»A vueltas de esta diatriba, y siempre con el mismo tono arrogante, se refiere el anónimo a cierta ceremonia de desagravio expiatorio, celebrada en el Templo de Dios Feliz a raíz de su profanación por los Dragones del Espacio. Para los autores de la carta, la conducta de dichos jóvenes al perpetrar ese pretendido agravio no era, por cierto, particularmente vituperable, sino más bien la explicable reacción, quizás indelicada, pero sana en el fondo, de almas nobles cuyos sentimientos cristianos repelían con indignación el ultraje que representan unos símbolos grotescos, impíos y blasfematorios exhibidos tan impunemente en el "llamado" Templo. Y en cuanto a la ceremonia de reparación y purificación de éste, los redactores del alegato la calificaban de "farsa siniestra", en el curso de la cual ese turbio personaje que se oculta bajo el ridículo apelativo de Diosa Felicitas, pero que deberá responder criminalmente por el nombre de Feliciana González, había llevado al extremo sus técnicas de excitación, inculcando en sus adeptos la idea de que sólo con sangre podría lavarse la mancha recaída sobre la hermandad entera.

»Según el escrito –y aquí reside la parte positiva de la anónima denuncia–, Feliciana González había hecho prometer bajo juramento a cada uno de los miembros de la Iglesia que, para ese efecto, cumpliría con obediencia ciega y absoluto secreto las instrucciones que el Dios Feliz, es decir, ella misma, le impartiera.

»¿En qué consistieron esas instrucciones, si las hubo? ¿Qué relación pudo tener el fanatismo bestial de aquellas gentes con la muerte de Luisito Rodríguez? Eso, era misión de la policía averiguarlo. Los autores del anónimo se limitaban a ofrecer dos solos indicios muy concretos, proponiendo a los investigadores que comprobaran: primero, si no era cierto que el Cadillac de los hermanos Doménech había aparecido por aquellas fechas rayado con multitud de incisiones reproduciendo, a la manera de firma, las armas del Dios Feliz y Reconciliado: el rayo de la muerte y un arpón; segundo, si al descubrirse el cadáver del joven Rodríguez no ardía, encendida a sus pies, una vela roja. La policía, que no considera incumbencia suya velar por las costumbres y que permite el libre desarrollo de cultos africanos en los arrabales mismos de la Capital –termina su prédica el escrito–, está obligada, cuando menos... Etcétera.

»*Verificación de indicios*

»El tono soberbio con que dicho documento (una copia del cual, auténtica de seguro, hemos tenido la fortuna de examinar breves momentos); el trato de injusta dureza –repetimos– que el citado documento se permite discernir a la policía, no ha impedido que ésta tome en cuenta sus insinuaciones relacionadas con el crimen de Altagracia. En efecto, el comisario Lupino, quizás con cierto prudente escepticismo en un comienzo, ordenó sin embargo que se practicaran las diligencias pertinentes, cuyo resultado ha sido positivo.

»No fue difícil comprobar por lo pronto que –si no ardiendo a los pies del cadáver, pues, como se recordará, la noche anterior a su hallazgo había caído un fuerte aguacero– uno de los chiquillos que lo descubrieron, un negrito sonriente, había encontrado por allí cerca, mojado

El caso del Junior R.

y sucio de barro, un cabo de vela rojo del que, claro está, hizo en seguida agradable botín. Todavía consiguió el agente encargado de la diligencia recuperarlo de entre sus manos, de modo que el curioso objeto figura actualmente entre las piezas relacionadas con el crimen.

»Respecto del otro extremo, también declararon en seguida sin empacho alguno los hermanos Doménech que sí, que algún malintencionado les había deteriorado la pintura del coche, aun cuando no pudieron precisar el lugar ni la fecha exacta: no se acordaban; añadiendo que, de todos modos, ya era imposible ver los trazos porque, con ocasión de otras pequeñas reparaciones, lo habían hecho pintar de nuevo. El taller encargado de este trabajo ratificó su declaración, puntualizando que los otros desperfectos consistían en abolladuras de la carrocería, sobre todo en la portezuela izquierda, al parecer estropeada por el impacto de una piedra o ladrillo.

»Comprobada la exactitud del anónimo, incluso en el detalle de la pedrada contra el automóvil (pues debe darse como hecho que el Cadillac de los Doménech fue el vehículo utilizado por los Dragones en su expedición al barrio Elipa), es evidente que ahora se abre un campo nuevo y, por cierto, muy amplio a las averiguaciones oficiales. Por lo pronto urge esclarecer el lamentable episodio de la muchacha raptada, y quiénes –caso de resultar verídico– participaron en él; especialmente, si Luisito mismo figuraba entre los ocupantes del automóvil. Suponemos que éstos son los problemas que ahora preocupan al personal dirigido por el comisario Lupino.

»Innecesario parece ponderar la gravedad de la información que, con carácter de primicia absoluta, ofrecemos hoy al numeroso público que tiene puesta su confianza en nosotros, y apoya nuestras normas de seriedad y nuestro desdén hacia el sensacionalismo gratuito a todo trance cultivado por otros colegas. Pueden estar seguros nuestros lectores de que continuaremos teniéndolos al tanto del desenvolvimiento del asunto, cuya nueva línea promete resultados copiosos, quizás sorprendentes, pero en gran medida también previsibles. No sería de extrañar, por ejemplo, que la Diosa Felicitas experimentara pronto un nuevo avatar, y se viera reducida *ad vincula* como San Pedro.

»Por otra parte, de entre quienes siguen con atención las peripecias y alternativas del crimen de Altagracia, muchos empiezan ya a preguntarse cuál será la suerte que aguarda al comerciante don José Lino Ruiz, a quien un conjunto de circunstancias desdichadas parecía acusar hasta ahora de manera vehemente, y que en la actualidad se encuentra preso, como presunto autor del hecho, en la cárcel del Miserere, a disposición de las autoridades judiciales.»

Tercera parte

En la cárcel del Miserere

1. *LA GRAN CARAMBOLA*

Basta; ya está bien. Se acabaron las lágrimas. Como aquella canción sentimentalona clamaba: *ya no tengo más llanto.* Con todos sus males, esto sí hay que reconocerle de bueno a la prisión: hay en ella tiempo de sobra para todo. ¿Cree uno que eso va a aliviar su corazón afligido? Pues se harta de llorar hasta quedarse seco; y luego, puede también reírse, si le place, de su propia pena y de todas las penas de este mundo; pensar, y repensar y, después de haberle dado a todo mil y quinientas vueltas –filósofo barato–, quedarse dormido sobre este camastro miserable, para que todo siga girando, dislocado, en sueños. Y despertarse, y retomar el hilo, y perderse otra vez en la maraña, sin preocuparse para nada de qué horas serán; cosa que tampoco tendría medio de saber, porque al entrar aquí te han quitado hasta el reloj; que, por lo demás, ¿para qué lo necesitas ni qué falta va a hacerte, infeliz, encerrado entre estas cuatro paredes?

Las paredes están hechas una indecencia, cubiertas de manchones, de dibujos obscenos y de frases soeces, fra-

ses que ya me sé de memoria. A fuerza de tanto leerlas, se
han vaciado de sentido, el cerebro las repite mecánicamente, y ya no significan nada. Una triste máquina electrónica: eso es lo que es el cerebro humano. Descompuesta, disparatada, moliendo y remoliendo en vano, deli-
rando. A falta de materiales nuevos, tritura, aburrido, las
porquerías que otros infelices dejaron escritas en la pared. Pero interviene de pronto algo inesperado, se produce alguna manipulación externa, como esta visita última
de Corina (una obra de misericordia, ¿no?, visitar a los
presos), y entonces mi pobre máquina electrónica, que
tras un ayuno tan prolongado no consigue digerir el plato
fuerte de la confesión, se traba, se atropella, se repite, y
otra vez, muy exaltada, quiere dispararme hacia el absurdo. No es para menos, la especie de confesión con que mi
distinguida esposa ha venido a obsequiarme. Cuidado,
pues; mucho cuidado: no pierdas la cabeza, no desvaríes,
José Lino.

Si en esta pocilga inmunda dispusiera yo al menos de
papel y un lápiz, trataría de forzarme a ordenar las ideas;
digo que continuaría, en fin, con la costumbre adquirida
(una buena costumbre higiénica) de emborronar cuadernos, aún a sabiendas de que inevitablemente... Sí; para
encajar dentro de formas legibles las agradables sutilezas
de la divagación insensata, uno tiene que falsificarlas: la
retórica se le impone. Pero quizás la retórica sea de todas
maneras ineludible para mí, como una consecuencia más
del pecado original. Lo cierto es que, anterior incluso a la
palabra escrita, se filtra hasta en las lucubraciones enfáti-
cas del desdichado preso, que sólo a través de palabras
consigue pensar. Así, cavilando, *compone*. Eso es: compone. ¿Hay acaso retórico mayor, por otra parte, que el
sentimiento mismo? Cuanto más sincero y hondo, más

retórico. No otra cosa que retórica, y del peor gusto –de un gusto pésimo, como diría mi mentor, mi burlador, mi amigo el gallego Rodríguez–, eran los sentimientos que hace un rato, tras la visita de Corina, desataron de mis ojos tan amargo torrente de líquidas perlas en la soledad de mi celda... Poco importa; de cualquier manera, tampoco me quedaría opción; esto es: no dispongo de papel ni lápiz. Procuraré, pues, analizar *in mente*...

Pero despacito. Calma. ¿Qué prisa hay? Tienes tiempo, tienes mucho tiempo por delante. ¡Si eso es lo único que tienes, lo único que te han dejado: tiempo! Todo lo demás te lo quitaron. No contentos con sacarte los anillos, el monedero, la cartera, el reloj, las llaves; no bastándoles con haberse repartido tan alegremente los despojos de la Casa Ruiz (ya de tu negocio sólo te resta, José Lino, el ocio), todavía, para completar el expolio, me privan ahora del honor, que es patrimonio del alma, arrancándome con él las últimas ilusiones, hojas, ¡ay!, desprendidas del árbol de esta cruz. Así, a la hora del balance, todo tengo que verlo rojo, no sólo las cifras del déficit, sino la sangre del crimen que me imputan, y el trapo del pase de verónica con que mi mujer ha venido a saludarme, para que nunca más pueda hacerme la mínima ilusión acerca de mí mismo.

Ahora, encerrado en este chiquero, ¿qué soy yo para todos? Un feroz asesino (y digo *para todos;* desde luego, para Candy, mi dulce prenda cuando Dios quería, muy lisonjeada, de seguro, con la idea de que, por amor suyo, alguien mató a alguien; y también para Corina; probablemente, para la misma Corina también, sin lo cual no se hubiera atrevido...). En fin, siendo un asesino, tenía que ser al mismo tiempo un tramposo, o no hay lógica en el mundo; por consiguiente, era obligado declararme en quiebra y tirar por la ventana, a la rebatiña, una vida entera de trabajo honrado. Pero... ¡qué honra ni qué...! Para inri y que jamás pueda soñar yo en alzar de nuevo la cabeza, se acerca por último mi propia esposa a los barrotes de mi jaula y me presenta mi vera imagen, mostrándome qué especie de bestia soy yo, cuál es el animal que aquí tienen encerrado: un animal lúbrico cuya frente ostenta –mírate, José Lino, en ese espejo de virtudes– hermosísimo par de cuernos. Pues sí; eso es lo que tú eres, José Lino; y no otra cosa es lo que ha venido a revelarle, muy compungida, a este su enchiquerado esposo la digna señora doña Corina de Ruiz, so pretexto de impetrar su anhelado perdón. Se comprende: tenía que aguardar a tenerme así, seguro tras de una reja, para animarse a comparecer y notificarme a mansalva cómo, *in illo tempore,* hubo de darse el gustazo de elevarme a la categoría de cornúpeto. En términos vulgares, a esto se reduce toda la contrita historia de que ahora –¡ahora, precisamente!– viene a hacérseme arrepentida Magdalena. Por supuesto que, cornudo yo (y eso sí: nadie con más autoridad para certificarlo que mi esposa legítima ante Dios y ante los hombres), yo cornudo, ¿qué será ella? Hasta los niños chiquitos saben deletrear el breve vocablo.

En fin, que esto era lo único que me faltaba para completar el cuadro, su adecuado remate y coronación. Quien, sin alardes de vanidad, podía tenerse por un prestigioso ciudadano, próspero comerciante y distinguido miembro de la sociedad capitalina, rodeado de la general consideración y respeto, se encuentra hoy en la cárcel bajo concepto de asesino, ha sufrido un expolio que lo deja en cueros, y sobre su cabeza exhibe, para universal befa y ludibrio, el cartelito infame de los maridos burlados. ¡Tan cierto es que del árbol caído todos hacen leña!

Sí, pues leña, palos, bofetadas, escupitajos: *Ecce homo.*
Y todavía, por si ello fuera poco, este postrer lanzazo
(gran lanzada a moro muerto): la revelación de Corina,
que me ha dejado como quien ve visiones.

Visiones de un pasado que ahora, de repente, muestra
su verdadero cariz. Pues tan pronto terminó ella de des-
embuchar y, alzando del suelo, asustados y húmedos e
implorantes, sus ojos hipócritas, los puso en mi abatida
cabeza, supe que ese secreto tan laboriosamente confesa-
do ahora había sido, como suele decirse, secreto a voces, y
yo un triste polichinela: «todo el mundo lo sabía, todo el
mundo menos él». En tropel acudieron a mí tantos detalles reveladores, tantas situaciones sospechosas, tantas
actitudes equívocas, tantas frases reticentes, tantas miradas de sorna, tantas alusiones transparentes, que el milagro es cómo pude no haberme apercibido. Se necesita ser,
en efecto, todo lo necio que (no sin razón, ahora lo veo)
tengo fama de ser yo, para no haberse percatado de algo
que, sin duda, no ignoraba nadie. ¡Si hasta se hubiera dicho que el propio gallego Rodríguez, y Corina misma, estaban empeñados en hacérmelo notar!... ¿O creerían acaso ellos, y lo creerían todos los demás, que yo estaba al
tanto, pero prefería hacerme el tonto? No, no me lo hacía:
lo soy. Tonto, ciego, estúpido: es muy verdad. Ningún Séneca; por lo contrario, esa especie de imbécil que Pinedito avieso pintaba: «con sus ufanas series de interminables
carambolas». Eso es lo que soy.

Con la boca abierta como tal imbécil, la miraba a ella
parada ahí enfrente, del otro lado de la reja, siempre in-
sistiendo, más con la mirada que ya con los labios, en
obtener mi perdón. ¡Perdón! La cólera y la vergüenza
ardían dentro de mí. ¿Perdón, después de haberme convertido en el hazmerreír de todos; después de haberme

puesto en el palo de la mona? Pronto se dice: a la mujer
adúltera, perdón.

Imaginaba los comentarios mordaces de las tertulias,
las frasecitas chistosas susurradas al verme comparecer;
gracias chabacanas como las que había oído –¡y dicho yo
mismo, caramba!– a propósito de otros notorios cornu-
dos, sin sospechar que también yo era miembro distinguido de la cofradía: agudezas por el estilo de: «Casi pensé que tropezaba en lo alto de la puerta», o «Agacha la
cabeza, José Lino», coreadas por groseras explosiones de
risa. ¡Señor, cómo se han de haber divertido a costa mía!

Oleadas de furioso bochorno inundaban mi pecho; y
todavía ahora, aquí, a solas, las siento refluir de rato en
rato. Hubiera deseado yo poder aniquilar de un solo golpe, con el fuego de una sola mirada justiciera, a todo ese
mundo enemigo que, fingiéndome aprecio, estaba confa-
bulado desde un principio contra mí, y sólo aguardaba la
ocasión propicia para destruirme, como las familias al-
deanas que durante el año entero crían, regalan, ceban y
acarician al animal cuya matanza constituirá su gran regocijo navideño y cuyos despojos saborean por adelantado. Que el cerdo o el cordero se acerquen a la hora de la
verdad sin haberla barruntado siquiera, santo y bueno;
son irracionales; se comprende. Pero ¿qué disculpa tiene
el que un animal racional haya sido tan estúpido, tan inocente, tan necio que tome por legítima y de buena ley la
moneda de sus halagos sin buscarle la otra cara?...

En cuanto a Corina, miraba yo la suya, y cuanto más la
miraba, menos sabía qué pensar ni qué decir. También
ella estaba en la confabulación; sí, ella también. Atónito,
me preguntaba a mí mismo cómo y por qué aquella mujer parada ahí ahora, con su cuerpo ya un tanto machu-
cho y los ojos colorados de llorar, estampa convencional

de la contrición; cómo la compañera de mi vida, mi elegida consorte, aquella criatura en cuyo leal cariño cifró este imbécil todas sus ilusiones de muchacho, había podido llegar a odiarme lo bastante para decidirse a hacer de mí objeto tal de pública irrisión. Sí; ella también, ella más que nadie, me había traicionado; y al conocer ahora, por propia confesión, lo que había estado haciendo, la contemplaba con perplejidad e incluso con esa especie de curiosidad entre irónica y helada con que observa uno a los desconocidos cuyos móviles han llegado a intrigarlo. Es verdad: Corina se había transformado de repente en una desconocida a mis ojos. Ese ser extraño que, como en las pesadillas, asomaba por detrás de los rasgos acartonados de la careta cotidiana a quien yo acostumbraba llamar «Corina», me dejó paralizado del susto. Estupefacto. Bien hubiera podido ella ahorrarse la precaución de aguardar hasta verme preso; pues en casa, y solos en nuestra alcoba, igual hubiera sido: el mazazo tenía que dejarme tonto.

Aún no había logrado volver en mí cuando ella, renunciando –parece– a sacarme una sola palabra del cuerpo, se retiró con las orejas gachas, despacito salió del locutorio y desapareció tras de la puerta hacia el pasillo. Sin duda atribuía mi rigidez a desprecio, o a la tensión de la furia contenida. Si ella hubiera podido adivinar que esa dureza mía era, no la de quien lanza el rayo, sino de quien está fulminado... Había desistido de moverme a perdón, o aun renunciaba a obtener de mí siquiera respuesta alguna; exhaló un cómico suspiro –yo lo observaba todo impasible, como si no fuera conmigo– y, baja la cabeza, se alejó lentamente: sus pasitos cansinos, su espalda vencida... No, yo no sentía en aquel momento ya ni odio, ni rencor, ni desprecio; no sentía nada, sino una completa indiferencia.

Aun cuando quizás indiferencia no sea la palabra. Tal vez la acumulación de los golpes, uno sobre otro, termina por amortiguar la sensibilidad, de modo que cuando vienen los peores ya apenas si le duelen a uno. Acaso sea que cada cual tiene una limitada capacidad de sufrimiento y, a partir de ahí, caiga lo que caiga, ya nada le hace daño, y puede aguantarlo todo como si tal cosa. Porque, a decir verdad, los primeros contratiempos con que se inició esta racha terrible, esos mismos disgustos que ahora, retrospectivamente, me parecen ridículos, me parecieron entonces absolutamente insufribles. No podía resignarme yo entonces a la ingratitud de Candy –en cuya actitud, sin embargo, hubiera tenido que estar ciego para no ver una bendición del cielo; reconocía que lo era, sí; pero al mismo tiempo me negaba a aceptarla, no quería pasar por ella, rechazaba la mínima humillación–. ¡Cuánto me escoció esa pequeña herida, que lo era sobre todo en el amor propio! ¡Qué de torpezas no cometí por obstinarme en salvar ese amor propio, el único (según dicen, y a lo mejor tienen razón), el único amor de que soy capaz! Ahí tienen su origen, de esas torpezas incomprensibles arrancan todos mis males presentes, ¡a qué engañarse! Un error trae otro; vienen enzarzados como las cerezas. Sin las tonterías que hice, puerilmente obstinado en conservar ese caramelo agridulce que ya me hastiaba, no me hubiera visto por último envuelto, como me veo, en este absurdo asesinato. Todas las sospechas se basan en aquellas tonterías. Y así, cuando a consecuencia de ellas fueron a prenderme, aun sabiendo que yo me tenía la culpa, no dejé de ponerme por las nubes. Mi indignación no tuvo límites. Ya me habían fastidiado con dos interrogatorios agotadores; y ahora, desconsiderando que estaba enfermo, me llevaban a la cárcel; era intolerable. Y ¿por qué me

resultaba intolerable? Pues por hallarme convencido de
que todo sería sólo cuestión de horas, o a lo sumo, de algunos días: lo que se tardara en aclarar el maldito crimen;
una vez aclarado tendrían que despedirme con toda clase de explicaciones por la equivocación de que se me había hecho víctima; y era entonces cuando iban a oírme.

Ahora bien, vistas las cosas con imparcialidad, fríamente –«ojetivamente», diría el gallego miserable–, la
verdad es que no había motivo para tanta indignación de
parte mía. En primer lugar, no sé si por pereza o por qué,
yo me demoraba ya en el lecho del dolor más de la cuenta
–y no es cosa de engañarse uno a sí mismo–; además,
tampoco quise aceptar el reconocimiento médico que me
proponían para enviarme, en calidad de detenido, al hos-
pital, en lugar de meterme en la cárcel. Cuando advertí
que no había escapatoria, que Lupino no se ablandaba ni
me quitaría ya su garra de encima, en vez de asumir la
mansedumbre de cordero que hubiera correspondido,
me revolví hecho una fiera y le dije: «Muy bien, vamos
allá. Y recuerde lo que le digo, comisario; recuérdelo: esto
va a pesarle a usted». Siendo, como era, inocente, no podía aceptar la idea de ir preso. Estaba furioso, amenazaba, y no quería entender que esa detención se había hecho
inevitable, y que «ojetivamente» estaban extremando las
contemplaciones para conmigo. Hubiera debido considerar que, obcecado con mi dichosa Candy, había dado
yo, uno tras otro, una serie de pasos en falso, efecto de la
ingenuidad, de la buena fe; errores –lo reconozco– im-
propios de una persona con mi edad y experiencia; pero
errores al fin no demasiado vituperables. Como quiera
que sea, los había cometido, y no podían extrañarme
ahora las consecuencias. Si uno mete la pata tiene que
embarrarse; o que no sea torpe. Yo había metido la pata

hasta el corvejón. (Sobre todo, Dios bendito, ¿cómo pudo ocurrírseme la disparatada idea de mandar en busca del Junior? De buena gana me aporrearía la cabeza, por imbécil; aunque tampoco, ¿cómo iba a adivinar yo que habían de matarlo, al majadero, aquella misma noche?) Metí la pata, y no quería sufrir las salpicaduras. La había metido, y volvía a meterla de nuevo. Como las cerezas: unos disparates traen otros. No teniendo culpa alguna ni la menor intervención (¿qué intervención?, ni noticia siquiera) en la muerte del pobre Luisito, soy lo bastante idiota para ponerme a negar hecho de comprobación tan fácil como ese recado mío; y, para colmo, me azoro en seguida al darme cuenta de que el comisario Lupino estaba en antecedentes, según hubiera debido comprender yo desde el primer instante por el sesgo de sus preguntas... Lo que pasa es que, claro está, a nadie le gusta ver aireados sus pequeños líos de faldas; pero debí darme cuenta de que eso tenía importancia menor al lado de lo otro. Hubiera debido, sencillamente, cantar la verdad llana; eso, y no otra cosa, era lo sensato. Insensatamente, negué hechos comprobables (en particular, el malhadado mensaje a Luisito), y al negarlos robustecí sus apariencias sospechosas. ¡Maldito recado! ¡Qué ocurrencia la mía! ¡Y encima, valerme todavía de mensajero tan cretino como el Anastasio, cretino de mí!... Es lo que se dice un caso de mala suerte; un desdichado concurso de circunstancias, en vista de cuyo cariz acusador, confirmado por mis necias negativas no era sino lo más natural que me detuvieran, y que aquí me tengan en remojo hasta que todo se haya aclarado. Cuando todo se haya aclarado (si es que llega a aclararse; ahora, ya no estoy tan seguro, ni en el fondo me importaría mucho), si nuestra policía, despistada siempre e inepta, acaba por descubrir a los verdaderos autores del crimen, un día u otro me pondrán en la calle.

Pero entonces será precisamente eso, literalmente eso: ponerme de patitas en la calle, puesto que tirado en la calle me deja esa quiebra en que con diligencia tan voraz han liquidado mis negocios. Liquidación forzosa; el concurso de acreedores, encadenado a aquel «concurso de circunstancias» que me trajo a este encierro. De no hallarme yo encerrado aquí, de no haberme tenido aquí atado de pies y manos, qué duda cabe que, manteniéndolas firmes como de costumbre al timón, hubiera podido capear el temporal (otros por el estilo y quizás peores había capeado antes), hasta llevar a buen puerto mi nave, esta Casa Ruiz que ya ha naufragado sin remedio. Hundida, perdida sin remedio: una ruina irreparable. Y no obstante, ¡qué raro!, no obstante, yo que había tomado como un terrible agravio las molestias, al fin pasajeras, de esta detención (para no hablar –antes– de las pamplinas de Candy, que me sacaron de quicio), ahora en cambio, tras de madurar no sé por cuánto tiempo en este calabozo, recibí con una cierta dosis de filosofía la noticia de la catástrofe que desbarata mi vida entera y me hace polvo, que me ha reducido a la indigencia, dejándome tirado en la vía, donde mi buen nombre de comerciante honrado se arrastra.

Pero, por favor, caballeros, no hablemos de honra. Lo peor de todo faltaba aún. Faltaba que viniera mi propia mujer a darme la puntilla. Ha venido, y la cosa está hecha. Sangrando todavía, yace descabellada la fiera, ¡inocente fiera! Sólo que –¡alabado sea Dios!– esta herida última, la definitiva y mortal, parecería recibirla una carne anestesiada, que siente y que no siente. Pues veo, oigo, me entero de todo, sí; me doy cuenta de lo que pasa; me enfrento con la indignidad mayúscula a que, bajo pretexto de arrepentimientos tardíos, me ha sometido Corina: mi propia imagen de minotauro; pero no reacciono. Tan podrido estoy ya, que no reacciono. Cierto es que tuve un acceso de lágrimas, pero eso no ha debido de ser sino mera descarga mecánica: en el fondo, soy indiferente a todo; nada me importa nada. ¿Qué decir? Ni siquiera he tenido la tentación de gratificarme con el alarde magnánimo de otorgarle a Corina el perdón solicitado, según nuesta Santa Madre recomienda. Ni eso siquiera, ¿para qué? La verdad es que me he quedado como quien ve visiones: pasmado. Pasmado ante mí mismo, ante la visión de mí mismo, como el que por vez primera se mira de perfil en los espejos combinados de la sastrería, o por primera vez oye su voz grabada en una cinta magnetofónica. ¿Conque así soy yo? Y pasmado ante esta criatura extraña, Corina de nombre, que ha venido a brindarme su copa de amargura. Corina S. de Ruiz. Doña Corina S. de Ruiz: ¡qué raro suena! De Ruiz. Corina Sánchez. Anita Perelló; Titina Gómez; Rosa, Julieta y Lola Mora. Corina Sánchez. De Ruiz. La elegida de mi corazón. ¿Es eso acaso lo que se espera del consabido Ángel del Hogar (para no invocar a estas alturas al no menos reputado Ángel de Amor); de la Amante Esposa que tal vez pudo –pues humanos somos– haber distraído el adjetivo de su hermoso título a beneficio de tercero, pero que sustantivamente está obligada, según las bien fundadas normas de la piedad conyugal, lejos de abrumar al marido con la carga suplementaria de pasadas miserias, a aliviarlo de sus pesadumbres actuales? Veamos, ¿qué es lo que hubiera debido hacer en ocasión como ésta la esposa ideal, devota y abnegada, incluso arrepentida? ¡Pues qué duda cabe! En lugar de traerle al pobre preso la batea repugnante de sus arrepentimientos, en lu-

gar de haberse estado regodeando en ellos («soy una pecadora arrepentida, como la bella Magdalena»), más hubiera
valido que acudiera a la necesidad urgente y se afanara por
salvar lo que, después de todo, era tan suyo como mío: el
negocio abandonado, procurando cuidarlo, sostenerlo e
impedir que, en ausencia de su dueño, la Casa Ruiz su-
cumbiera al pillaje de los merodeadores. O intentarlo al
menos; mover tan siquiera un dedo, mostrar un poquito
de buena voluntad, y no estarse ahí cruzada de brazos
como un pasmarote, rumiando oscuros rencores.

Eso era lo que correspondía: esbozar por lo menos un
gesto, en señal de buena voluntad; un gesto simbólico
–porque, en cuanto a su eficacia..., permítaseme que me
sonría–. ¿Qué sabe ella del negocio? Ni del negocio, ni de
nada, como no sea de astucias, de disimulos, de traicio-
nes y de picardías. Demasiado ocupada estuvo siempre la
buena señora –doña Corina S. de Ruiz– con sus altos
pensamientos y sus intrigas galantes para que le sobrara
tiempo y dedicarlo a la prosa del diario vivir. Para la prosa del diario vivir, ahí estaba, ¿no?, el cabrón del marido.
Quien, justo es reconocerlo, se lo tiene bien empleado,
pues –la verdad– a veces es malo ser demasiado bueno.
Demasiado incauto. Son las tontas ilusiones de la tontísi-
ma juventud: caballerescamente, no quería yo que mi señora me ayudara a llevar la carga, ni afligirla nunca con
mis dificultades, problemas y pejigueras; procuré ofrecerle siempre la mejor vida posible, una vida de gran
dama. Y, en efecto, la gran vidorra es la que ella se ha pe-
gado, mientras que yo, echando el bofe, resoplaba y suda-
ba, y me pavoneaba todavía –estúpido de mí– con la vana
idea de no tener que agradecerle a nadie nada ni, por lo
tanto, tener que darle a nadie cuenta de cosa alguna; contento, en fin, de que ella no tuviera tampoco mano en el

negocio, con lo cual quién sabe qué majaderías no se evitarían. Así, cuando el viaje a Ultratumba... Ahora me acude a la memoria una de las tantas pesadeces que el gallego solía gastarme a propósito del famoso viajecito: pretendía el gallego, alardeando de su mitológica cultura de *Enciclopedia Espasa,* que yo había sido un Orfeo al revés, puesto que no había bajado a Ultratumba en busca de mi Eurídice, sino para escapar de ella. Con lo cual disculpaba sin duda en su conciencia la mala pasada que, so capa de amigo fraterno, estaba jugándome. Si Orfeo escapaba o no, astutamente, de su Eurídice, lo cierto es que en aquella oportunidad no consideré siquiera la alternativa de encomendarle a ella la dirección de los Almacenes. Cerrar sus puertas: eso era desde luego lo que por entonces convenía y lo que, con instrucciones simples y muy precisas, le encargué hiciera. Afrontábamos una catástrofe general (si yo me aproveché de la ocasión para darme ese gusto que, a la larga, debía acabar conmigo y aniquilarme, es cuestión aparte); afrontábamos, digo, una catástrofe general, y lo más prudente era echar los cierres al negocio mientras sonaran tiros en la calle. El tiempo, que tan cruelmente ha venido a castigarme por lo otro, en cuanto a este punto me dio la razón: cerrado el negocio, el daño se redujo al mínimo, y luego se reparó con holgura. ¿Qué hubiera podido hacer ella, librada a su propia iniciativa, en coyuntura tan difícil? No hubiera hecho sino disparates. Y la prueba es que, no bien se permitió rebasar en algo mis disposiciones terminantes, fue para dar un resbalón, como lo hizo poniéndose a platicar averiguaciones ociosas con el Bigotudo progenitor de la otra pécora. ¿No le había dicho yo...? Pero... más vale dejar eso; no mezclemos las cosas. De seguro, ella se olió algo raro en el asunto, y entonces transgredió... («Transgre-

dió»: vocablo del gallego. Bueno, adelante.) El caso es que
tampoco ahora hubiera podido ella hacer cosa de provecho si, en vista de que yo estaba preso e incomunicado, se
le ocurre lo que ni siquiera le pasó por las mientes: acudir
al remedio. Ni ¿cómo iba a impedir ella, por Dios bendito, la ruina del negocio? Después de todo, preferible es
que se haya estado quieta; de todos modos, yo sólo, sólo
yo, conocía la aguja de marear; nadie sino yo hubiera podido apelar a los remedios extremos: y a mí me tenían encerrado. Mejor es (aunque es lo mismo) que no se haya
molestado en intentar nada. Soy injusto al reprocharle
que no haya insinuado siquiera el ademán mínimo. ¿Qué
sentido hubiera tenido eso, sabiendo que era en vano? La
culpa es mía; sólo mía. ¿No la tuve apartada cuidadosa-
mente de mis cosas? Entonces, ¿de qué me quejo?

Lo que hubiera debido hacer yo es, no quizás asociarla
a ella en la gestión de la Casa, sino haber admitido alguna vez, como en tantas oportunidades me propusieron y
yo rechacé siempre, el ingreso de socios a la firma, que ni
siquiera tenía que modificarse mucho: Casa Ruiz y Compañía: Casa Ruiz & Cía., Almacenes de Ramos Generales.
Eso es lo que quizás debía haber hecho yo; pero ¡demasiado tarde viene uno a reconocer sus errores! Entonces, sí;
entonces la nave se hubiera encontrado con un segundo
de a bordo para defender la situación; probablemente,
aprovechándose de ella en contra mía, ya lo sé; comién-
dome el terreno; pero, de cualquier modo, con evitación
de lo peor, es decir, de esta bancarrota que confirma el dicho –pues sin esperar a que nadie me lo reproche, me lo
reprocho yo mismo: la codicia rompe el saco–. Tarde,
muy tarde recibo esta lección que de nada puede aprove-
charme en el futuro; porque, lo que es futuro, ni lo tengo,
ni tampoco lo quiero ¡Futuro! ¿A dónde iría a parar yo

ahora, hecho un pelado, reducido a esta desdicha humana en que me han convertido entre todos?

Sólo me pregunto si, como castigo de la codicia, no es
excesivo. Otros triunfan, alcanzan la vejez extrema y re-
ciben honores póstumos en pago de una codicia más implacable que la que ni aun con el mayor rigor, pudiera
echárseme a mí en cara. Ahí está, sin ir más lejos, ese re-
pulsivo Ano-Ano, al lado del cual yo soy, desde todos los
puntos de vista, inocente parvulillo. Por otro lado, si bien
se piensa, tampoco resulta demasiado claro que mi error,
o mi pecado, haya sido de codicia. Ya sé que nunca fui un
modelo de generoso desprendimiento, porque a final de
cuentas un hombre de negocios no es una hermana de la
caridad (ni le arrendaría yo la ganancia al que quisiera
serlo); pero si yo no le abrí a nadie las puertas del mío fue
–después de reconocer que quizás he extremado a veces
la prudencia administrativa–, no tanto por razones de
codicia como por el deseo... Si me empeñaba en que la
empresa fuera mía, y sólo mía; si me obstiné en excluir de
su manejo hasta a mi propia consorte (lo cual demuestra
que no obraba yo por codicia, pues de todos modos aquello era tan suyo como mío, legalmente: bienes ganancia-
les, ahí está), si incurrí en lo que ha resultado error funesto, lo hice movido más que nada por un sentimiento de
orgullo, por un noble espíritu de independencia, para
probarme a mí mismo que era capaz... Sí, eso es: por el
maldito amor propio. Fruto de mi propio esfuerzo. Mis
derechos. Mi fortuna. Mi firma. Lo mío. El personal a mis
órdenes. Una figura independiente del comercio capitalino. Yo en mi casa hago lo que me da la real gana. Etcétera.
Pues, ahí te ves ahora, rey de los judíos; y... que Dios te
asista. ¡Con cuánto mayor acierto ese Doménech (pero,
claro está, hay que ser Doménech) derrama al viento,

rumboso, los puñados de oro, en la seguridad de que cada grano le hará cosechar luego una espiga! Él, dadivoso y magnífico; mientras que yo, mísero, cuidaba el centavo. Y ¿cómo no había de cuidarlos, siendo gotas de sudor de mi frente? Para verme, a la postre, sin nada. Muy verdad es lo que cierto humorista postulaba: «el único trabajo que enriquece es el trabajo ajeno». Las apariencias que a duras penas había conseguido levantar yo esforzando el propio, eran vanas, y al primer embate se han derrumbado. Vano es también lamentarse: torres más altas han caído; y en último extremo la culpa ha sido mía y de mi temeridad al mantenerme encerrado en esa fortaleza deleznable, impidiendo la entrada a quienes, llegado el caso, hubieran podido defenderla –un orgullo insensato que debía perderme, aunque a otros (digamos, al crapuloso patriarca de las Empresas Medrano...)–. ¡Qué importa! La cosa ya no tiene remedio, ni de nada vale lanzar quejas al cielo. Cayó Roma con su poderío eterno; se desmoronó el imperio español; hemos visto naufragar el británico ante nuestros ojos. Y ahora, derribada en el polvo, hundida en el lodo más bien, yace la Casa Ruiz, Almacenes de Ramos Generales, sin que su fundador y dueño, impedido por razones de enfermedad primero, y luego por sinrazones de cárcel, haya podido siquiera echar mano a la espada. *Mea culpa;* yo, pecador... ¿Qué sentido tiene acusar a la pobre Corina de no haber hecho lo que en manera alguna podía esperarse que hiciera? A cada cual lo suyo. Por su bien, para evitarle quebraderos de cabeza, y evitármelos yo de paso, lo cierto es que jamás le consentí asomar las narices a los arcanos de mi imperio. Ya era bastante lucha ahí dentro con esa Candy de mis pecados para crearme todavía complicaciones suplementarias dándole ocasión a esta otra de que entrara a tallar

también. Si me equivoqué o no, es cosa mía; nada tengo
que reprocharle a ella por ese lado.

Queda todavía en pie el hecho de que haya esperado a
verme hundido y aplastado bajo los escombros de mi
propia ruina para venir a abrumarme definitivamente
con la noticia de mi condición cornúpeta, tan nueva para
mí como para ella añeja. Esta acción, y no aquella omi-
sión, es la que merecería censura. «¿Por qué la ha llevado
a cabo? –me pregunto–. Si durante tanto tiempo ha guardado como oro en paño el inmundo secreto de mi deshonra, ¿por qué lo airea y me obsequia con él en el peor
momento y a la hora más difícil de mi vida, cuando menos puedo soportarlo? ¿Para acabar conmigo alevosa-
mente? ¿Para darme el golpe de gracia?»

No quisiera yo abandonarme ahora a un orgía de de-
clamaciones sentimentales (ya fue bastante la congoja
pasada), ni voy a pretender, grandilocuente, ante el foro
de mi conciencia, que por pura maldad, por efecto del
rencor acumulado, y llena de odio hacia mí, se ha complacido en escupirme ella también su afrenta a la cara
cuando estoy maniatado. En mi fuero interno me lo repito: ella no es capaz de perversidad tan melodramática; de
tan demoníaca maldad. Ésas son cosas que podría yo de-
círselas, y bien merecería que se las dijera, antes de otorgarle el perdón; pero en el fondo sé muy bien que no es
así, y que no es ella de esas criaturas que hacen el mal por
el mal. ¿Por qué, entonces? ¿Por inconsciencia? ¿Por inconsciencia, antes, y ahora otra vez por inconsciencia?
Supongamos –es una hipótesis–, supongamos que el espectáculo de mi desgracia actual ha avivado en su corazón los remordimientos que tuviera, ya medio adorme-
cidos, por aquella infame faena; supongamos que el
empacho de su viejo desliz («desliz», con esta linda pala-

breja folletinesca es como se refirió ella a la puerca hazaña que me confesaba: «mi desliz»); supongamos, digo,
que por último, viéndome caído, haya sentido la necesidad de descargar su conciencia: ¿es que no podía, al menos, después de haber vivido al lado mío tiempo y más
tiempo sin translucir nada, no podía retener otro poco en
el buche su trasnochado secreto, siquiera hasta que esta
pesadilla empezara a desvanecerse? No digo que no; estará tan arrepentida como pretende; pero lo cierto es que
aun en la hora de su arrepentimiento (dando por hecho
que esté arrepentida como insiste en jurarme; pero ¡qué
fácil es arrepentirse cuando ya la juventud le ha dicho a
uno *Buenas tardes!),* aun a la hora de pedir perdón,
muestra ella demasiado quién es: una egoísta implacable,
que ni por un momento se para a pensar en el efecto que
aquello debía de producirle a la víctima. Con lo cual, un
acto meritorio, un acto noble (la pecadora arrepentida
que se humilla, confesa y pide perdón) viene a tornarse
en su contrario: en cruel ensañamiento.

O ¿no pudiera ser que...? A menos que... Sí, ahora
lo veo; ahora caigo en ello. Sí, ya está; eso ha de ser: eso lo
explica todo. ¿Cómo no lo había pensado antes? Cuando
uno está empachado, si vuelve a cargar el estómago de
nuevo, entonces es cuando ya no tiene medio de contenerse... ¿No será que Corina estaba confesándoseme del
pecado viejo, pero pidiéndome en realidad perdón por
uno reciente que no confesaba? Creo que sí; me parece
que esta vez he dado en la tecla. Estas cosas se huelen; de
pronto me ha dado el tufo. No hace falta ser un Séneca
para notar que algo podrido hay en Dinamarca: basta tener algún olfato. Y ahora veo perfilarse delante de mis narices la teoría completa, una teoría muy plausible, que rápidamente se redondea. ¿Cómo no se me había ocurrido

antes, si tan evidente es? Es evidentísima, clara como el agua.

Desde luego, el nuevo pecado nada tiene que ver con el primero –ya no estamos para esos trotes; adiós, la juventud–; o, si tiene que ver, es de índole distinta; tiene que ver, pero es de distinta índole. Veamos, veamos cómo se arma la historia. La historia puede ser ésta: Una cierta dama de honestas costumbres, espejo de virtudes caseras, descubre un día por casualidad (y quien dice por casualidad, dice por entrometimiento) un gatuperio de su marido, a quien no puede hacerle de inmediato la correspondiente escena de celos, con la secuela previsible de lágrimas, reproches y reconciliación, porque, precisamente, el pícaro se encuentra fuera de su alcance, disfrutando clandestina luna de miel por lueñes tierras. Desesperación profunda. En esto, cierto sujeto miserable que sólo piensa en aprovecharse de cuanta mujer se le pone a tiro, fingiendo indignación moral por la conducta del marido ausente, incita a la pobre tortolilla herida, o más bien alicorta gallinácea, a vengarse del infiel, pagándole su engaño con la misma moneda. *All right!* Ya se ha vengado; ya se los ha puesto, y muy cumplidos. Cuando lo ve volver al redil tan campante, cargado de obsequios e hipócritas alharacas, ella tiene que mirarlo con ironía. No sabe el muy bobo, lejos está de imaginarse que ahora pertenece al número de las testas coronadas... De ahí en adelante, cada vez que se sientan a la mesa para tomar el desayuno o la cena puede ella regodearse contemplando frente a sí el espléndido aunque inmaterial adorno de sus sienes; y sonríe, satisfecha... Va pasando el tiempo. El tiempo ha pasado. Entre tanto, ella se ha puesto gorda, y ya no piensa ni en el marido tarambana («que haga lo que se le antoje»; «qué se me importa a mí»), ni menos en el ocasional

amante que, como es lógico, la dejó plantada tan pronto
como se hubo sacado el gusto. Ha pasado el tiempo; y
ahora, de improviso, un cúmulo de pasmosas coincidencias, urdidas –parece– por el mismísimo diablo, hace que
el marido de la susodicha dama vaya a dar con sus huesos
en la cárcel, acusado de un crimen que no ha cometido, y
del cual crimen ha sido víctima, precisamente, el hijo mayor de aquel falso amigo y falso amante, etcétera. Por si
fuera poco, tan pronto como el pobre hombre (que es un
hombre de bien, después de todo) ha caído en el cepo,
¡zas, el concurso de acreedores!: una bandada de aves de
rapiña se cierne sobre él y le arrancan a picotazos toda la
sustancia. *Miserere!*

Pues bien, ¿cómo es que la esposa otrora infiel elige
esta oportunidad para sentir remordimientos, confesar-
le su falta y pedirle que la perdone? ¿De dónde le viene
arrepentimiento tan súbito, pero tardío, y sobre todo tan
intempestivo? Tal es la cuestión. Porque si lo que hubiera
movido a Corina fuera la lástima de verme derribado,
arruinado, insultado por los periódicos, y acusado injus-
tamente (¿o acaso me sospecha ella también del crimen
de Altagracia?); si fuera eso: un impulso de afectuosa
compasión, lo último que hubiera tenido que hacer era
hundirme más todavía en el lodazal. A menos que, según
acaba de ocurrírseme, se sienta de un modo u otro responsable de lo que pasa. Y aquí se abre un campo nuevo
a las conjeturas que, con la imaginación ociosa, puedo
recorrer yo durante las horas interminables de este encierro.

Sigamos, pues. A mí se me atribuye, por lo pronto, la
muerte del Junior Rodríguez. Según la versión aceptada y
corriente, lo hice matar por causa de Candy, por celos de
Candy; y Candy misma puede ser que lo crea: convenci-

do estoy de que ella lo debe de creer. En cuanto a mí, yo sé muy bien, claro está, que no he tenido arte ni parte en el hecho, y que estoy pagando culpas ajenas. También los verdaderos autores de la fechoría, sean quienes fueren, saben desde luego que yo soy inocente, y que estoy desempeñando el papel de chivo emisario, o de cordero divino, por sus pecados. Puede ser, incluso, que esta idea les regocije, y estén muertos de risa. Pero ¿quiénes son ellos? ¿Quiénes podrán ser? Puesto a hacer conjeturas, nada me prohíbe conjeturar que Corina, si no lo sabe, se lo figura al menos. Y siendo así, es claro que ella me tiene por inocente, está segura de que lo soy; y al tenerme por inocente, me compadece; y al compadecerme, se arrepiente de su viejo «desliz», es decir, del mal que me hizo, y no puede refrenar el impulso de pedirme perdón. Pero entonces, si ella sospecha quiénes pueden ser los verdaderos autores del crimen, ¿por qué, en lugar de entregarse a extemporáneas contriciones, no se apresura a denunciarlos y pone sobre su pista a la jauría de mis perseguidores?

No carezco de respuesta para este enigma. Cuando todos se desalan buscando al asesino de Altagracia, y la única pieza que son capaces de ojear y de capturar en sus correrías es este pobre ciervo que soy yo, mientras en su escondite se relame el tigre carnicero, permítaseme a mí que construya mi propia hipótesis, valga por lo que valiere, y que presente mi versión personal de lo sucedido mediante una verosímil trama que, a manera de parte segunda, enlazaría con la novelita esbozada hace un instante, completándola. Habíamos visto cómo, llena de despecho al enterarse de la mala pasada que su marido le está jugando, la señora de Ruiz decide prestar oídos a cierto vulgar seductor, gallego por más señas, quien –para comodidad de su contubernio– finge amistad fra-

terna hacia el confiado esposo. Hasta aquí no se trata de
fantasías, ni yo invento nada, sino de hechos reconocidos
por ella misma; se trata de los hechos confesados, entre
hipos, lagrimitas y tramojos, la vista baja de vergüenza y
levantado el pecho por los suspiros; se trata del Desliz.

Pasemos ahora al terreno de las razonables probabilidades. Continúo con mi bonito cuento: parte segunda. El
villano, según lo que a su papel corresponde, no tarda en
abandonarla. Se ha cansado; le resultan quizás mayores
las molestias que el gusto; otras aventuras lo solicitan; en
fin, corta amarras y se aleja de la pobre Circe, quien cae
en rabiosa desesperación, tanto más intensa cuanto que
no le queda otro recurso sino aguantarse y disimular. Ni
siquiera el consuelo de la queja le está permitido. ¿Qué
puede hacer la todavía por entonces tan briosa jaca, sino
tascar el freno? Tasca el freno la jaca briosa; calla, y al mal
tiempo pone buena cara. Con razón se ha ponderado la
capacidad de disimulo que caracteriza a las hijas de Eva. A
ésta, el marido no le nota nada; quizás, de haber estado
menos distraído y preocupado por su parte, hubiera repa-
rado en que a la misia se le agriaba el carácter: el caso es
que no le notó nada de particular. Y mientras tanto, ren-
corosa, aguarda ella, y lo aguarda durante años, el momento propicio para vengarse de su galaico burlador.
Hasta que, por fin la ansiada oportunidad se presenta, con
un juego de factores tan favorables como sólo la casualidad es capaz de combinarlo: resulta que el hijo primogénito del mencionado burlador ha crecido hasta transfor-
marse en engreído galancete muy dispuesto a emular las
glorias paternas. Junior Rodríguez es su ridículo apelativo. Y este jovenzuelo tan impetuoso como inexperto se
enamora (así como suena: enamorado), ¿de quién?, pues
de la ninfa Candelaria; de Candy, aquella modesta em-

pleadita que es origen de todo el lío; la misma con quien
este Orfeo al revés emprendiera su funesto viaje a Ultratumba. Se enamora de ella el Junior, y es correspondido.
El propio esposo siempre infiel y ahora desolado se encar-
gará (¡tonto de mí; pedazo de Ningún-Séneca!) de llevarle
la noticia de sus tribulaciones a la Corina vengadora;
quien, de inmediato, advierte que ha sonado su hora. Sin
aguardar un solo instante, monta siniestra maquinación.
¿Acaso no había sido a través del padre de esa muchacha,
no había sido por la candidez, real o fingida, del digno Bigotudo, cómo ella, Corina, supo en su día la defección
conyugal de José Lino? Sí, a través del Bigotudo, cuyas
aprensiones de padre calderoniano calmó ella entonces.
Pero si entonces las había calmado piadosamente, ¿por
qué no podía despertarlas ahora de nuevo, dirigiendo
contra el Junior de su insolente seductor la secreta vindicta de que sería instrumento muy idóneo este rústico de luces pocas, con su machete? Una jugada magistral, ¿no es
cierto? Una carambola perfecta. Castigado el gallego sin-
vergüenza en cabeza de su Junior (y de paso, la madre de
éste, Nuestra Señora del Adefesio, con sus pretensiones
de displicente aristocracia); castigada la muchachita am-
biciosa, que se quedaba así vestida y sin novio; y en fin,
castigado el marido, no por lo que hizo, sino en razón de
un delito no cometido, pero del que todos los indicios lo
acusan. ¡De mano maestra!

Me doy cuenta, sin embargo, de que en esta trama quedan todavía algunos hilos sueltos; y sobre todo, que la
parte final de ella requiere más elaboración. Por ejemplo:
faltaría decidir si el último golpe de la carambola no habrá sido obra del azar antes que del cálculo. Porque si Corina hubiera previsto este resultado: preso y en la ruina su
marido (es decir, un servidor), si a tanto hubiera llegado

su espíritu rencoroso como para enredarme a mí también, ¿por qué tenía que venir arrepentida luego a pedirme perdón de su añejo desliz? ¿Para completar quizás su triunfo? No, sería demasiado; no hagamos melodrama. Aparte de que, mucha capacidad de fingimiento tendrán las hijas de Eva, pero aquellos sudores que le costó el laborioso parto de su confesión no pueden simularse tan fácilmente. Arrepentida, no hay duda de que lo estaba. La maldad triunfante ofrece rostro muy distinto. Por consiguiente, habrá que suponer que el rebote a efecto del cual soy distinguido huésped de esta mansión no entró nunca en sus cálculos: la jugada le salió, si cabe decirlo, demasiado redonda.

Y ahora padezco yo en este cepo por causa suya. ¿No ha de compadecerme? ¿No ha de sentirse culpable para conmigo? A sus ojos, mi falta primera estaría, si no redimida, cancelada por su desliz –y cancelada con creces: muy obcecada hubiera tenido que estar para no verlo–. Sin embargo, ahora padezco en razón de un asesinato que ha sido ella, y no yo, quien promovió. Autora por inducción, que así se llama esta figura –muy a mis expensas lo tengo aprendido–; autora moral... La cuestión es que ella no podría indicar a las autoridades quiénes han sido los autores materiales, ni siquiera mediante el acreditado sistema del anónimo, sin acusarse a sí misma. Y desde luego sería muy noble, muy patético, conmovedor de veras, que la esposa del inculpado compareciera en los cuarteles de la policía declarando: «Soy yo, y no mi marido, a quien ustedes acusan, la verdadera autora del crimen de Altagracia. A instigación mía, lo cometió don Ismael Gómez, el padre de la Candelaria; por ende, yo soy la autora moral. ¿Que por qué lo hice?» Ahí vendría el problema de los móviles; la gente quiere hallar móviles claros. Precisamente porque los míos se lo parecen, están empeñados todos en atribuírmelo a mí. La señora de Ruiz tendría que relatar entonces, y suscribir en papel de oficio, lo que todo el mundo sabe, sin duda, pero lo sabe extraoficial y chismosamente; lo que ella ha venido a confesarme en demanda de perdón.

Por supuesto que esto último: pedirme perdón a mí, era mucho más fácil y, sobre todo, es cosa que se hace a menos costa: un rato de vergüenza y, en cambio, la satisfacción de sentirse al otro lado. Si dándome noticia de la deshonra en que he vivido aumentaba mi pesadumbre en vez de reducirla, poco importa: la cuestión es que ella queda a salvo y aliviada de paso la conciencia. De este modo, hasta podrá afrontar con ánimo valiente la eventualidad de que terminen condenándome a mí por lo que ella ha hecho.

2. *La triste gracia*

El sueño, al que se ha llamado imagen espantosa de la muerte, dicen que es bálsamo supremo para las llagas del alma; y debe de ser cierto. He dormido; he dormido mucho y muy bien, largas horas. Y me despierto, no ya tranquilo, calmado, sino hasta con un humor plácido. Abro los ojos, y los paseo por el techo, tan manchado de humedad. La bombilla eléctrica, ahí está siempre colgando. Me doy vuelta en el camastro, y ahí sigue también la dura puerta con su rejilla eterna; y junto a la puerta, rayadas en la pared con algún clavo, unas pomposas formas femeninas. Por enésima vez observo el grotesco dibujo, pero ahora lo observo sin la repulsión acostumbrada; compruebo que sigue estando en su sitio, y que es como es. Muy bien sé que, tan pronto como me vuelva hacia la derecha, he de comprobar igualmente que continúa reinando sobre la otra pared el trazo de un falo gigantesco sobre cuya empinada punta pululan como insectos los versos descabalados con que algún predecesor mío, tan corto en letras como sobrado de imaginación, intentó rimar a lápiz sus anhelos; y tampoco me exaspera el saber que apenas dirija hacia ahí la mirada esos versitos indecentes me obligarán a que los deletree de nuevo; en verdad, a recitarlos, pues me los tengo aprendidos de memoria. Por el momento miro perezosamente, y más bien divertido, a esta Venus opulenta y manca que otro desesperado –o a lo mejor, el mismo– esbozó junto a la puerta. Para él, así como el artillero del cuento describe el cañón: «agujero rodeado de bronce», para éste la Mujer no sería sino un agujero rodeado de carne. Me entra risa con semejante idea; yo solo, me río... Es que me desperté de buen temple; y ni siquiera el olor de este calabozo, al que mis nari-

ces no se acostumbran, consigue matar la sensación de
felicidad que hoy brota en mí desde el fondo de mis sueños sin duda.

Porque he soñado, y han sido cosas muy agradables las
que he soñado. Algunas, ya un tanto borrosas; pero agradables todas. Veo entre ellas –es un retazo de sueño–
abrirse esta puerta, no ahí tan encima, no tan cerca como
en realidad la tengo, sino algo al fondo, y aparecer en su
marco, como bañado en un hermoso resplandor matuti-
no, al comisario; quien, muy azorado, se para y, vacilan-
do, ocupado con su cigarrillo, pretende explicarme –pero
muy azorado el comisario Lupino; visiblemente turba-
do– que todo ha sido una mera broma, una broma nada
más, de mal gusto, sí señor, pero sin malas intenciones.
Yo lo veía titubear, y me daba lástima, quería sacarlo del
apuro. Todavía me oigo decirle en tonos joviales: «Pero,
no comisario; hágame el favor de no preocuparse, ¡qué
tontería! ¿No ve que yo estoy encantado? ¡Encantadísimo,
comisario! Si esto ha sido para mí un verdadero placer,
créame; una temporadita de descanso. Tanto, que... Escú-
cheme, comisario: aunque ello sea abusar un poco de su
amable hospitalidad, va a permitirme que siga instalado
aquí, al menos durante un cierto tiempo. Me he acostum-
brado ya, dése cuenta. Yo soy así: en seguida me encariño
con todo. Además por no tener, ya no tengo ni siquiera
prejuicios, y resulta que esta celdita me gusta, no está tan
mal que digamos. ¿Qué más necesito yo, dígame?: Un techo donde guarecerme, y un lecho humilde». Etcétera. Yo
me sentía de lo más locuaz; muy eufórico estaba yo en
sueños. Pero el comisario, cuya confusión iba en aumen-
to, me replicaba (y en sus palabras ponía un acento de
consternación sincera) que, sintiéndolo muchísimo, eso
era imposible; que si en su mano fuera..., pero que no,

que tendría que irme. Yo me reía: «Irme, ¿a dónde, comisario? ¿A dónde quiere usted que yo me vaya? Ustedes no pueden echarme a la calle, como a un perro. Eso, de ningún modo». Una porfía interminable, en la que el comisario se mostraba pesaroso, aunque firme, y en la que yo no perdía mi aplomo, pues estaba seguro de que, por mucho que dijeran, me quedaría allí para siempre, como esos hermanos legos que, sin obligación de votos viven en el monasterio. Y después de todo, ¿no ha sido antes convento esta cárcel? Todavía se le llama del Miserere... El seguir aquí significaba para mí, no sé cómo, también seguir durmiendo: en medio del ensueño, me daba clara cuenta de que estaba durmiendo y soñando, y no quería despertarme... Pero me desperté, y todavía me dura el bienestar que ese bálsamo milagroso me ha traído.

Bien lo necesitaba y buena falta me hacía, después de tantas cavilaciones locas. Mi cabeza parecía ya una máquina descompuesta, llegaba a dar miedo. Y es que golpes así pueden desequilibrar a cualquiera. Estoy seguro de que debía de tener hasta fiebre; o si no, ¿cómo se explica aquel delirio? Sentí miedo, y me sumí en el sueño igual que un ratón se refugia en su agujero. Sentí miedo, sí; porque es el caso que mi cabeza había sido toda la vida limitada, si se quiere, pero bastante firme, gracias a Dios; firme quizás a causa de esa misma limitación. Un sujeto simple, si gustan de adjudicarme ese calificativo; pero seguro de mí mismo, porque la simplicidad, o simpleza, del mecanismo parecía garantizarle a mi cerebro un funcionamiento de regularidad perfecta. Las únicas libertades que se permitía eran los sueños. Soñar, siempre he soñado mucho; como esas máquinas que en el silencio nocturno de las oficinas se ponen de pronto a hacer un ruidito, los sueños –convencido estoy de ello– eran válvulas de seguridad para mi envidiable salud mental, y me permitían mantenerme lúcido, o sobrio, o limitado, es decir, sensato, durante todo el día. En cambio ahora, ayer, era como si la máquina de pronto se hubiera descompuesto, no porque no anduviese, sino, al contrario, porque se había disparado a gran velocidad y sin control. Hasta se permitió elaborar por su cuenta y riesgo una versión propia del crimen de Altagracia, según la cual resultaba culpable nada menos que Corina. Mi mujer. Y ¡con cuánta facilidad se urdía toda aquella trama disparatada! ¡Qué bien, con qué lógica irreprochable se encadenaban todas las cosas! Hay que saber como lo sé yo que esa Corina de tragedia griega no es sino un producto de mi mente acalorada; es menester conocerla como yo la conozco, para advertir la magnitud del disparate. De mucho más liviana calidad, ¡ay!, son las hazañas a que ella se atreve, y para eso ni siquiera es capaz de aguantar luego, la pobre gata, el peso de su secretillo... Sólo en momentos de desvarío pudo parecerme aceptable, y hasta evidente, una fábula que tan mal se ajusta al carácter del personaje. ¿Maquinaciones siniestras? ¡Pobre gata!

Eso, claro está, lo sé yo; pero me asombra que ellos (ellos, los policías, los jueces, los periodistas, los perros husmeadores) no hayan ligado unas cosas con otras hasta forjar por su parte esa misma teoría que yo fabriqué ayer para mi personal entretenimiento, u otra parecida. Sobre la mesa están, revueltas, las piezas del rompecabezas, y cualquiera que se acerca tiene, ¡cómo no!, que intentar combinarlas. ¿Es posible que a nadie se le haya ocurrido...?

O quizás, sí, se les habrá ocurrido –¿cómo no iba a ocurrírseles?–; pero habrán tenido que descartar en seguida la bonita teoría porque resultaba a lo mejor inconciliable con algún hecho de los que llaman inconcusos, acaso, porque –digamos– el Bigotudo posea irrefutable coartada –esa bendita coartada que yo, en cambio, no he podido aducir en favor mío (ni ¿cómo podría, si de lo que se me sospecha es de autor moral?), y por cuya falta aquí me tienen–. Pues –debo reconocerlo– la cadena de deducciones a la que estoy atado, y de la que por modo alguno he conseguido desprenderme, está eslabonada con más férrea lógica que mi hipótesis de ayer. Lo cual no impide que sea también falsa, y yo tan inocente del crimen que me imputan como la propia Corina, sobre cuyos débiles hombros quería yo echar el muerto.

«Sus débiles hombros» es una frase hecha; pero, hecha y todo, es la frase que indefectiblemente me acude a las mientes cada vez que pienso en Corina arrepentida. La triste escena, la escena penosísima, la escena insufrible, vuelve a representárseme siempre de nuevo, e igual siempre a sí misma. Es como la película que ya ha visto uno quién sabe cuántas veces: ahora levanta ella los ojos, balbucea unas palabras, su pañolito, las manos que se retuercen, frases de imploración; y por último –ahora, ahorita, ya– vuelve lentamente la espalda y se aleja hacia la puerta, la cabeza gacha y caídos los hombros –sus débiles hombros–. Y yo, al verla, pienso: «Se retira como un loro corrido a escobazos». Una observación cruel, pero en la que, aun cuando otra cosa parezca, no hubo hostilidad ninguna, ni –mucho menos– ánimo de burla, ¡para burlas estaba yo! Loros llama el vulgo a las mujeres ya pasadas, a un cierto tipo de mujer, cuando todavía presumen y quieren componerse: ojos redondeados por la pesadez de las ojeras, el piquito breve, las mejillas colgantes, los andares... En su derrota, me sugería ella la idea de un pobre loro corrido a escobazos; pero sin ninguna hostilidad ni burla, más bien con una pena de la que por el momento no me daba bien cuenta yo mismo, pues otros sentimientos más impetuosos la anegaban; y que hoy cuando vuelvo sobre ella, emerge, asoma, crece.

Y afligido, vuelvo a preguntarme, hoy como ayer, ¿por qué hizo Corina lo que hizo? Pero ahora, si me aflige el que lo hiciera, no es ya por mí, o no es sólo por mí, sino también por ella misma, y quizás ante todo por ella misma. En realidad, esa pregunta, al repetirse tanto y tanto, no suena tanto a pregunta como a queja; es una queja. Comprendo que, en cuanto pregunta, sería pregunta ociosa: «¡Por qué lo hizo!» ¡Qué tontería! ¿Por qué hacemos en el mundo las cosas que hacemos? Hombre, cada cual lleva dentro de sí mismo a su peor enemigo. ¿Por qué emprendí yo el viaje funesto? Si nunca lo hubiera hecho, ¿tendría que lamentar ahora la estupidez cometida por mi mujer entonces? Y ¿tendría que lamentar ella misma ese Desliz cuya confesión le abrumaba ayer los hombros y parecía que iba a ahogarla? ¡Por qué lo hizo! Había averiguado las trapisondas del marido, no ignoraba que mientras aquí las cosas estaban que ardían y la vida humana era bagatela, yo, a pretexto de salvar la mía, me campaneaba tan ricamente por el extranjero en dulce compañía. ¿Tan difícil es perder la cabeza en momentos así?... No, de veras carece de sentido interrogarse sobre el porqué de nuestros errores, máxime cuando los hemos reconocido como tales, pues con este reconocimiento está dicho cuanto hay que decir.

«Pero, dejando aparte el Desliz como agua pasada, ¿qué demonios es lo que te movió, infeliz Corina, desgraciada, a traérmelo como un presente ahora, en la hora misma de la aflicción? En cualquier otro momento, fíjate, cuando me pavoneaba yo muy contento de la habilidad con que sabía engañarte, eso me hubiera servido quizás de lección saludable; en los momentos actuales, ¿de qué me sirve? Más bien parece ensañamiento. Ya sé, ya sé que no ha sido tu intención ésa. Si alguna vez he pensado que te proponías vejarme y reventarme más, no lo he creído nunca. Lo pensaba, para asumir a fondo el gustoso papel de víctima, pero sin llegar a creerlo. ¿Cómo lo iba a creer, si te veía sudar, moquear, lloriquear y padecer, haciendo de tripas corazón para forzarte a ello? Pero entonces, ¿por qué razón, puede saberse, dime...?, ¿por qué raro proceso de lógica femenina...?»

Como la conozco y me la sé de memoria, me parece estar oyendo sus absurdas lucubraciones internas. He aquí que yo he caído al cepo: me encuentro en esta cárcel acusado, arruinado, vilipendiado; en una palabra: hecho polvo. Y entonces piensa ella: «Pobre José Lino. De golpe, todas las calamidades se le han venido encima juntas. Quizás se lo tiene merecido; pero de cualquier manera yo no puedo menos que decir: ¡pobrecillo! Ha hecho muchas cosas que no debiera, pero en el fondo no es tan malo; en el fondo, es bueno. Y debe de tener el ánimo por los suelos. Encerrado ahí, entre esas cuatro paredes, estará rumiando sus faltas, pues (quién lo ignora) la hora de la desgracia es la hora de las reflexiones. Y si repasa su pasado, tiene que sentirse muy culpable frente a mí. Yo no sé qué pensar –pensará ella– acerca de ese crimen; por mucho que los indicios le acusen, no me parece a mí que él tenga nada que ver con el asunto. No va a haber sido tan imbécil que, por causa de aquella piltrafa... Pero –seguirá lucubrando Corina– por otro lado también es cierto que ha cometido locuras increíbles, a consecuencia de las cuales ha venido a dar, después de todo, donde ahora lo tienen. Sea como quiera, no puedo yo imaginar que él haya tenido mano en ese asesinato. Y en todo caso, la haya tenido o no, no dejará él de comprender que él solito se tiene la culpa de lo que le pasa; mientras que la ruina que ha provocado es también la mía, y por esa culpa suya, yo (a quien él considera inocente) me veo tirada hoy en mitad del arroyo, como diría el muy bobo con una de esas frases cursis que le aprendió a Luis Erre. En el arroyo, y teniendo que dar la cara a todo el mundo, mientras que a él lo tienen alojado en la prisión pública donde, por lo menos, nadie lo molesta. ¿Cómo no va a dolerse del daño que su desatinada conducta nos ha acarreado a los dos? Y hasta es lo más probable que se sienta ahora (tarde piaste) comido de remordimientos por lo que me ha engañado con esa piltrafa...» (Ella, Corina, le apicará a la Candy esa designación, que es muy suya, u otra por el estilo: una designación de despecho, de menosprecio, de odio. Es natural: ¿qué sabe ella de Candy? *Que es la otra.* Nada: una piltrafa, una basura. No la conoce, y no puede imaginarse que, ésta también, es una víctima de las circunstancias y, si quieren apurarse las cosas, ¿por qué no?, víctima mía: mi Candy.) «Pues bien –prosigue razonando Corina en el monólogo que le atribuyo–; pues bien, si el desdichado José Lino siente remordimientos por haberme estado engañando con esa piltrafa, de cuyo engaño se deriva, con crimen o sin él, toda la catástrofe que nos ha hundido a ambos, yo tengo el deber de informarlo, para alivio de su conciencia, de que yo, a mi vez, merezco tanto como él mismo este castigo; y aún más que él mismo, pues una mujer está obligada siempre a mayores miramientos. Le confesaré mi falta, le pediré perdón; él entonces, de seguro me lo pedirá también a mí; nos reconciliaremos en nuestra común desventura, y de esta manera el pobre José Lino ya no se encontrará tan solo como ahora: solo en la desgracia, solo en la caída, solo en la culpa.»

¿Es acaso inverosímil este proceso mental? No desde los supuestos de la lógica femenina; dentro de esos supuestos, no. Ella me quiere, como yo la quiero a ella, por más que a ratos el cariño se adormezca y se distraiga; pero después de años y años de convivencia, eso es de veras más fuerte que nada. Viéndome en el cepo, acude –no puede evitarlo– a solidarizarse conmigo como sea. Entre los animales mismos, ocurre otro tanto. Y si así fuera, si hubiera venido a mí empujada por un instinto muy fuerte para apretarse conmigo en la desgracia y ayudarme como Dios le diera a entender, entonces la consecuencia es clara; entonces su acto, en lugar de inspirado por el egoísmo (no hablemos, pues es disparate, de crueles ensañamientos), resultaría ser más bien una obra de piedad; obra equivocada, si se quiere, pero obra bien intencionada, meritoria.

En tal caso, ¿cómo pude no haber respondido a sus súplicas, negarme a sus ruegos, a sus lágrimas, rehuir la mirada de sus ojos? En tal caso, ¿cómo pude rehusarle la misma caridad que venía a ofrecerme ella? ¿Cómo pude haber sido, una vez más y siempre, el mismo burro a quien los golpes no enseñan? ¿El mismo burro, hinchado de arrogancia? En tal caso, ¿quién era yo para cicatearle el perdón? ¿Acaso no necesitaba yo, por mi parte, que ella me perdonara a mí?

Pero, en tal caso; es decir, si se admite que la confesión de sus pecados se encaminaba a compartir la carga de los míos, con igual razón podría conjeturar uno que, llevando la abnegación al extremo, puesto que las mujeres ponen su vanidad a veces en eso de cumplir sacrificios sublimes, cabría, digo, conjeturar incluso que, movida de

piedad hacia mí, hubiera llegado hasta el extremo de asumir una culpa, se hubiera atribuido un pecado que jamás
cometió, tan sólo para brindarle a este afligido el consuelo de saberse acompañado en la miseria...

Basta, basta. No caigamos en el absurdo, otra vez, ahora
por la banda opuesta. No deliremos de nuevo. ¡Ay, José
Lino, qué trabajo te cuesta aceptar la amarga realidad,
tragar la píldora!... Pero, hijo mío, hay que tragársela, qué
remedio. No nos engañemos, ahora a sabiendas. Deje-
mos los actos de santidad para los santos. Desgraciada-
mente, el Desliz de Corina es demasiado efectivo, y su
confesión no ha hecho sino abrirme por fin los ojos sobre
algo de que, a no estar yo demasiado infatuado y demasiado envuelto en mis propios líos, hubiera debido percatarme en seguida. Trabajo me cuesta comprender, ahora
que lo sé a ciencia cierta, cómo me las arreglé para no
darme cuenta de lo que estaba pasando delante de mis
narices. Muy ciego había que estar, o no querer verlo. Ciego y sordo. Con verdad lo dicen: no hay peor sordo que el
que no quiere oír. Dicen también, y también es muy cierto, que quien escucha, su mal oye. En cuanto a mí, diríase
que no sólo me abstuve de escuchar tras de las puertas,
sino que hasta me tapé los oídos para no enterarme de mi
mal. ¿Quién que viera al gallego Rodríguez –y eso, conociendo sus antecedentes donjuanescos– inflamado de sú-
bita afición hacia este vulgar comerciante, metido de hoz
y coz en la casa mía, allí almorzar, allí cenar, allí pasarse
las veladas, no pensaría que el tonto de Ruiz se estaba haciendo más tonto de lo que en realidad era?

Y luego las alusiones, las reticencias, esas frases de do-
ble sentido que yo me negaba a entender y que ahora me
parecen transparentes hasta la insolencia y me hacen en-

rojecer de bochorno y de ira. Cada escena, cada detalle
que se me viene a la memoria, sube en una sofocación de
sangre caliente que me aniquila. Preguntaban los canallas
por el gallego como si fuera de la familia. «Su esposa,
¿bien? ¿Y Rodríguez? ¿Va a venir?» Y a mí me daba rabia;
respondía a veces: «Creo que sí»; a veces: «No lo sé», aunque sí lo sabía; por lo general, sí que lo sabía... ¡Canallas!
Al gallego y a mí nos llamaban –con sorna, ya se advierte– «los inseparables Luis Erre y José Ele».

El colmo de todo fue aquella famosa discusión sobre el
honor calderoniano en la tertulia del Casino; eso fue
el colmo. Pudiera sospecharse que se habían puesto de
acuerdo para sacarme entre todos a plaza. Cómo empezó, apenas si lo recuerdo. Debió de ser alrededor de una
noticia del periódico: el consabido campesino que, por
celos, mata a su mujer, una viejarrancona de cincuenta o
cincuenta y tantos años. Que si a eso no podía llamársele
un crimen pasional; que ni qué «pasional» ni qué nada, a
esa edad y ya hasta con nietos grandes, etcétera. Lo que
era, era más bien un crimen de la honra; era el viejo honor castellano que, en nuestro agro, se conserva todavía
en su entera pureza. «Es verdad –recuerdo que, en un
momento dado, opinó el gallego–; es muy cierto: los únicos maridos calderonianos que hoy en día van quedando
son estos atrasados campesinos nuestros.» «Por suerte
para ti», le replicó entonces, rascándose la cabeza, el gracioso de Arranz. Y todos rieron; y yo, con todos, también
me reí, aunque me había parecido una solemnísima patochada; pero ahora, ya veo claro por qué tanta risa. Y yo
me reí también como un imbécil; me reí de mí mismo...
En seguida se armó la gran discusión sobre el asunto.
Como si se tuvieran repartidos los papeles, unos defen-
dían con enfático ardor las costumbres tradicionales,

mientras que otros, no menos apasionadamente, las calificaban de bárbaras, sacando a relucir ambos todo el ar-
senal de los eternos lugares comunes: que si el divorcio,
que si la santidad del sacramento, que si el interés de los
hijos, que si los americanos, que si los franceses. Yo estaba callado y me aburría: era un tema bien absurdo. De
pronto, he aquí que, otra vez el gracioso de Arranz, me
interpela ahora a mí: «Y a usted, Ruiz, ¿qué juicio le merecen los celos calderonianos?» Quizás con impaciencia
excesiva, me alcé mirando el reloj: «Tengo que marchar-
me, señores; lo siento». «Aguarda un momentito, José
Lino, que salgo contigo –me dice Rodríguez levantándo-
se también. En la puerta, me tomó del brazo; afirmó–:
Ése es un majadero» –a la vez que me echaba encima una
de sus ojeadas escrutadoras. «¡Qué discusión idiota!», co-
menté yo. Y ¡el muy cínico! me conforta: «Mira, no hay
que hacerles ningún caso». ¿Qué me quería decir con eso?
Es claro: también él estaba lo más convencido de que yo
era una persona comprensiva, como eufemística y soca-
rronamente se los aludía; o –sin eufemismo– un marido
consentidor, sufrido y mansurrón.

    Aquella misma tarde, en presencia mía, se cruzaron
entre Corina y él miradas que bien pudieran traducirse
en un diálogo por el estilo de: «Tengo que hablarte».
«¿Qué pasa? ¿Pasa algo?» «No es nada, tranquilízate; pero
tengo que contarte una cosa.» «No me asustes.» «No, no
es nada grave. Ya hablaremos…» Y la cuestión es ésta: si
todavía me acuerdo con tanta precisión de ese diálogo
mudo, ¿cómo es que entonces lo pasé por alto? Lo pasé
por alto, igual que lee uno a veces sin enterarse párrafos
enteros de un libro, porque al mismo tiempo está pensando en otra cosa. Y yo tenía por entonces otras cosas en
qué pensar.

Pero esto significa que también ella, también Corina, como todos los demás, creía que yo estaba al tanto y hacía la vista gorda; que lo sabía todo y que, desde el fondo de mi abyección, bendecía el infame idilio, riéndome para mi capote.

¿Creía ella eso? ¿Creía ella eso de mí? ¿Me creía ella a mí capaz de eso? ¿De hacerme el distraído? ¡Fuerte cosa es! Y, sin embargo, no hay duda de que lo creía. ¿Por qué no había de creerlo, cuando todo, todo parecía darlo a entender así? Muy bien se comprende que lo creyera. Venciendo a duras penas la repugnancia que tal idea me produce, tengo que reconocerlo. Y tampoco es por ello necesario que me considerara abyecto (estoy propendiendo demasiado a las palabras mayores); no es necesario que, por ello, me considerara una piltrafa, ni una basura. Podía pensar muy bien que no me atrevía yo, con mi cola de paja, a encender una disputa sobre cuestiones de fidelidad conyugal; que quizás el sentimiento de mi previa culpa me tendría achicado, y que, al no ser, desde luego, el más autorizado para tirarle la primera piedra, prefería, sencillamente, no darme por enterado de nada, y sufrir en silencio la pena del talión que ella me había aplicado, dura ley, pero ley después de todo.

Por supuesto, mucho habría que discutir acerca de la equivalencia en la retribución; y cualquier árbitro imparcial declararía sin duda alguna que su golpe había sido un golpe bajo; pero ésta no es ya hora de entretenerse en discusiones tales, ¿para qué? Puesto que, de todas maneras, yo daba señas de haberlo absorbido, como de los boxeadores se dice, ella que me creería al tanto, creería también que yo aceptaba sin rechistar la justicia seca de la vieja ley; de modo que mi paciencia en el castigo, lejos de ofrecerle motivos de desprecio, suscitaría quizás en su ánimo algún movimiento de piedad, como el de la madre a quien se le ha ido la mano, pero ¿cómo va a dar su brazo a torcer?, hasta que, viendo por acaso enfermo a su pequeño delincuente que no se queja ni dice nada, la pobre mujer revienta en lágrimas de arrepentimiento, y de buena gana daría ahora la mitad de su vida por no haber hecho lo que hizo; pero como esto es imposible, y lo hecho, hecho está, y no hay vuelta que darle, sólo le resta, deshecha en llanto, implorar el perdón de su víctima.

Esta víctima, por su parte, nada comprende; no comprende de momento. Comprenderá luego, más tarde, demasiado tarde; ahora. Es ahora cuando descubro la verdad de lo ocurrido; sólo ahora lo veo claro, coherente y sencillo, aunque horrible. Ahora siento dentro de mí la evidencia: ya no se trata de conjeturas más o menos bien armadas, probables y verosímiles, sino de la verdad misma. Y de nuevo se me representa Corina, mi pobre Corina, con la cabeza humillada ante mí, temblorosos sus gruesos labios pintados, luchando entre sudores de muerte con las palabras de su confesión, que vuelvo a oír a retazos, nauseabunda y conmovedora como un viejo disco de gramófono; esa confesión que entonces me dejó helado, pero que hoy, repetida y repetida por la memoria, empieza a ablandarme, a derretirme ya.

Siempre me pasa lo mismo, y para todo: tardo demasiado en reaccionar; y el caso es que la vida no da respiro... Soy lerdo, soy un bobo (saber que a uno lo tienen por bobo es una cosa, y otra muy distinta sentirse uno mismo bobo por dentro, como yo me siento ahora); soy un tontaina: siempre reacciono tarde. Ahí me quedé, hecho un pasmarote; ahí me estuve, duro como un poste. Y ella, claro está, tomó mi estolidez por orgullo... No hay remedio: esta vida es una comedia de las equivocaciones;

un drama de las equivocaciones; una tragedia; una tragicomedia. Tampoco ella fue capaz de comprender nada de lo que a mí me pasaba.

Pero, en resumidas cuentas, si Corina hizo aquello –digo, el Desliz– por vengarse de mí, eso significaría que yo tengo la culpa, no sólo de mi propia desgracia, de lo que mi conducta atrajo sobre mi cabeza, sino también de su pecado, ya que ella lo cometió contra mí, por causa mía, para castigarme, para vengarse, para sacarse la espina. Del daño que con eso se ha hecho ella, también soy responsable yo.

Y aún pudiera ir más allá. Aun en el supuesto de que su principal motivo no hubiera sido ese deseo suyo de tomar represalias de mi engaño, sino que hubiera sucumbido, simplemente, a las consabidas flaquezas de la carne, todavía sería yo culpable de su caída, pues, dejándola abandonada a sí misma en circunstancias tan difíciles, le proporcioné con mi ausencia la ocasión; de modo que, también en este supuesto, debería ser yo quien le pidiera perdón a ella, en lugar de sentirme agraviado.

Sí, yo a ella; tal como suena: pedirle perdón por haberle permitido que me convirtiera en figura de escarnio, que hiciera de mí la estampa irrisoria del marido burlado, y de ella misma...

¡Triste gracia, por cierto! Pero así es. Es así, no más. Extraña cosa, pero ¡es así! Y yo no supe entenderlo; y yo, hecho un pasmarote, la dejé que, como fonógrafo averiado, repitiera en vano sus imploraciones; todas aquellas frases entrecortadas que ahora resuenan, ridículas y, a la vez tan patéticas dentro de mí: «en qué rincón esconderé la cara...; soy una basura...; qué puedo hacer yo...; pero tú me querías, José Lino...; tenme lástima...; si tú no me per-

donas...; qué desgraciada que soy...» Todo eso, una vez, y
otra, y otra. Por fin, una mirada última, como la del náu-
frago antes de sumirse para siempre. Hubiera bastado un
simple gesto mío, ese pequeño gesto que tan vorazmente
aguardaba; una migaja, una nada; pero yo, estúpido, la
dejé ir. En lugar de haber humillado también mi cabeza,
me mantuve mirando al techo y cruzados los brazos
cuando me tendía su mano pidiendo ayuda; a mí, que la
había empujado para que cayera.

Tuvo que marcharse, otra vez con el fardo de su Desliz
a cuestas, y me dejó solo (¿no era eso, acaso, lo que tan or-
gullosamente procuré siempre yo?); solo para siempre,
solo y pataleando en el fango. ¡Que Dios nos ampare!

Índice